EM PODER ADAS

PALMÉRIO DÓRIA

EMPODERADAS

Mulheres eternas, corpo a corpo com a vida

GERAÇÃO

Copyright © 2018 by Palmério Dória

1ª edição – Novembro de 2018

Grafia atualizada segundo o Acordo Ortográfico da Língua Portuguesa de 1990, que entrou em vigor no Brasil em 2009.

Editor e Publisher
Luiz Fernando Emediato

Diretora Editorial
Fernanda Emediato

Capa, Projeto Gráfico e Diagramação
Alan Maia

Preparação
Nanete Neves

Revisão
Marcia Benjamim de Oliveira
Sandra Martha Dolinsky

Dados Internacionais de Catalogação na Publicação (CIP) de acordo com ISBD

D696e   Dória, Palmério
Empoderadas: Mulheres Eternas, Corpo a Corpo com a Vida / Palmério Dória. - São Paulo : Geração Editorial, 2018.
136 p. : il. ; 15,6cm x 23cm.

ISBN: 978-85-8130-405-2

1. Biografia. 2. Mulheres. 3. Empoderamento. I. Título.

2018-1449   CDD 920
                                                       CDU 929

Elaborado por Odílio Hilario Moreira Junior – CRB-8/9949

Índices para catálogo sistemático
1. Biografia 920
2. Biografia 929

GERAÇÃO EDITORIAL

Rua João Pereira, 81 – Lapa
CEP: 05074-070 – São Paulo – SP
Telefone: +55 11 3256-4444
E-mail: geracaoeditorial@geracaoeditorial.com.br
www.geracaoeditorial.com.br

Impresso na Ipsis
Printed in Ipsis

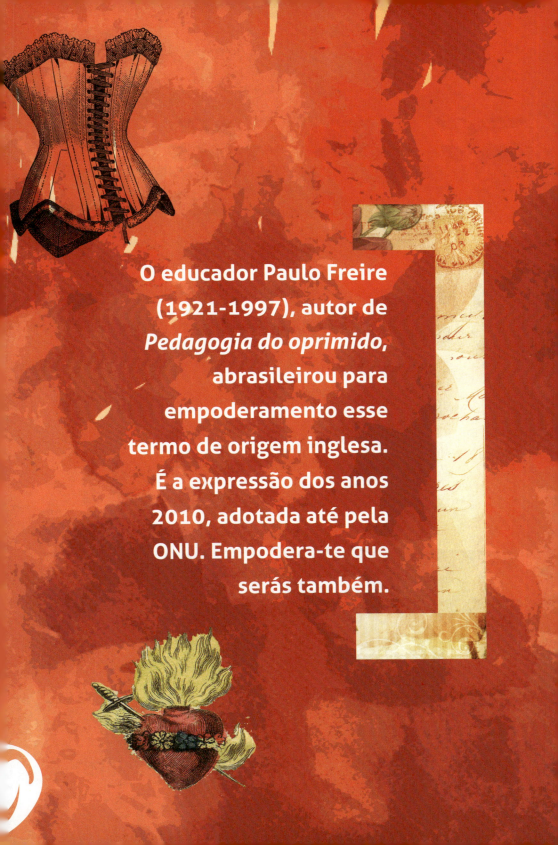

O educador Paulo Freire (1921-1997), autor de *Pedagogia do oprimido*, abrasileirou para empoderamento esse termo de origem inglesa. É a expressão dos anos 2010, adotada até pela ONU. Empodera-te que serás também.

> Em 1789, a Assembleia Constituinte proclamou na Declaração dos Direitos do Homem que todos os homens nascem livres e se mantêm iguais em seus direitos – todavia, o documento não compreendia o *status* dos judeus, nem dos escravos nas colônias, nem das mulheres em qualquer lugar.

Edmund White em O flâneur – Um passeio pelos paradoxos de Paris

Prefácio

IMPÉRIO DAS MULHERES

Chega o momento em que dom Francisco de Orellana, navegador e aventureiro espanhol, então com apenas 21 anos — e já com um olho perdido em batalhas —, se acha com coragem, ambição e — principalmente — maldade de sobra para se desgarrar do comandante Francisco Pizarro, o macabro exterminador do império inca, e partir para a realização de seu próprio *sueño* heroico e brutal: a conquista do Eldorado, que, no Peru, contam existir além dos Andes.

A oportunidade vem aí pelo fim de 1539, quando Pizarro despacha fantástica tropa sob o comando do irmão Gonzalo para a empreitada, quase toda ceifada no festival de horrores da travessia dos Andes. Já na encosta leste, Orellana se livra de Gonzalo. A pretexto de buscar alimentos, se manda com cinquenta e nove aliados, inclusive frei Gaspar Carvajal, dominicano, o cronista da viagem.

A presença de frei Gaspar oficializa a incumbência, numa época em que o globo terrestre se dividia de polo a polo por uma linha imaginária decretada em bula papal, sem contraindicações. O oeste, posse da coroa espanhola; o leste, da coroa

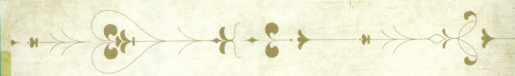

portuguesa. Porteira fechada: fauna, flora, riquezas, infiéis — até o canto do uirapuru era de quem chegasse primeiro no pedaço.

A tropa se sente investida de "missão divina". Pode barbarizar e saquear à vontade com a benção da Igreja católica. Qualquer um que não saiba cantar "Jesus Cristo, Jesus Cristo, Jesus Cristo, eu estou aqui!" é inimigo, passível de abate imediato. A tropa pega um rio que nasce no Peru e segue cortando a floresta. À medida que avança em canoas, a água se transforma numa imensidão barrenta que passam a chamar de rio Orellana.

Escoltados por mata cerrada dos dois lados o tempo todo, em alguns pontos o grupo sente estar em mar aberto — a monotonia é dilacerante, verde vago mundo, só quebrada por eventuais algazarras de grupos de garças. Vez por outra, grupos de indígenas nus os observam nas margens. E pior, num mato sem cachorro e nem porco — os que haviam levado consigo do Peru morreram durante a travessia dos Andes. Não se decidem: ali é o começo ou o fim do mundo?

Espetáculos ocasionais: um rio negro corre ao lado, durante quilômetros, sem se misturar com o rio barrento em que seguem. O que levanta até hoje irremovível questão: por que o rio Negro é negro? Na verdade, não é. Está mais para a tonalidade da Coca-Cola, maravilhoso detergente. Eles tomam dessa água límpida com avidez. Ninguém arrota.

O esporro da passarada é permanente, assim como a sensação de que sempre há alguém de butuca dentro da mata. Enfim, aportam num povoado indígena.

Ali têm notícias de que, rio abaixo, há cerca de setenta tribos só de mulheres, as icamiabas, "mulheres sem marido" na língua dos índios, e autossuficientes. Elas vivem em setenta povoados cercados de muralhas, que se interligam por caminhos rio Nhamundá acima, 700 km de água cristalina, que desemboca na margem esquerda do rio recém-batizado. A notícia os eletriza. É indício de algo com cheiro de Eldorado, as cidades de ouro, e algo mais, imaginam.

As icamiabas podem ter copiado esse sistema de estradas dos tapajós, civilização com 250 mil viventes às margens do rio Tapajós — de água verde, nas cercanias do Nhamundá delas.

Essa civilização seria dizimada no segundo século da colonização portuguesa, de morte matada e — principalmente — doenças. Sofisticada, produzia rica cerâmica e traçava vias em linha reta de um metro e meio de largura e trinta centímetros de profundidade, ligando as aldeias.

Os tapajós eram de fato afortunados. Antes do avanço "civilizatório", uma vez por ano desfrutavam e eram desfrutados pelas icamiabas, numa cerimônia sagrada para a deusa Yaci (Mãe-Lua) às margens do lago Yaci-Uaruá (Espelho da Lua). Depois de um prazer cumprido, partiam para outro.

Após a cópula, as icamiabas mergulhavam para moldar, lá no fundo do lago, os muiraquitãs — amuleto da sorte em formato de um sapinho, feito de pedra ou argila, geralmente de cor verde, que aparece na saga de *Macunaíma*, o clássico modernista de Mario de Andrade. Assim que engravidavam, despachavam os rapazes.

O relato de um índio aprisionado por Orellana, contudo, é de arrepiar, nada idílico, na narrativa de frei Gaspar:

> "Estas indias participan con índios en tiempos, y cuando les viene aquela gana por fuerza los traen a sus tierras y lós tienen consigo aquel tiempo que se les antoja, y después que las hayan preñadas les tornam a enviar a sua tierra. E después, cuando vienne el tiempo en que han de parir, que si paren hijo ló matan y le envian a sus padres, y si hija la crían con gran solemnidad."

Teria havido um encarniçado combate na foz do Nhamundá com as icamiabas, que frei Gaspar descreve como altas, musculosas, de pele clara, cabelos compridos e negros. E os aventureiros levaram um vareio delas.

Suas majestades os reis da Espanha pensariam um milhão de vezes antes de conceder comendas a alguém a serviço deles que levou uma tunda de mulheres armadas apenas de arcos e flechas contra marmanjos de mosquetão em punho, capacete, armadura no torso, cada qual com a sua excalibur. Ainda mais com o exemplo implacável de Pizarro no Peru, que deixou apenas pedra sobre pedra depois de sua passagem.

Frei Gaspar não podia nem classificá-las como bruxas da floresta, ou acusá-las de terem algum pacto demoníaco ou coisa que o valha. Também por decisão papal, os índios não tinham alma, incapazes de entendimento, assim como os negros que andavam capturando na África e transplantando para suas *plantations* do Novo Mundo. Estava ali e agora para aplicar um *chip* de alma cristã neles.

A acusação de bruxaria era usual nos estados europeus durante a Inquisição, instituída pelo papa Gregório IX em 1233 para descobrir e punir os hereges. Mulheres crepitaram nas fogueiras sob essa acusação, a primeira em 1275, em Toulouse, na França. E não parou mais.

O feminino era visto como inimigo interno. Uma história muito antiga, milênios mesmo. Remonta à deusa-terra, que se apresentou no espaço europeu em várias épocas como Ísis, Cibele, Deméter. Agora estavam desviando os monges de seu caminho, meras "iscas de satanás, veneno da alma, objeto de volúpia digna de porcos, refúgio dos espíritos imundos", já dizia são Pedro Damiani, no século XI.

Nova temporada de caça em massa das suspeitas de bruxaria foi aberta dois séculos depois por uma bula de Inocêncio VIII (1484-1492). Eram tantas, que os padres dominicanos alemães J. Sprenger e H. Institoris escreveram um manual — *Maleus maleficarum* (Martelo das Buxas) — sobre os melhores métodos para identificá-las e arrancar confissões nas masmorras. Não se sabe se os protestantes, que se lançaram no mercado da fé na primeira metade de 1517 com o teólogo alemão Martinho Lutero — e também barbarizaram no departamento de bruxaria — rezavam pela mesma cartilha dos dominicanos.

As bruxas, em geral, eram parteiras, curandeiras dos mais pobres, atendentes de velhos, preparadoras dos matrimônios e dos funerais. Geralmente mulheres mais velhas. Sempre se sabia quem tinha mau-olhado nas sociedades camponesas. Morreu uma criança? "Ah, foi ela!". Ela, por pura coincidência, também podia ser uma notória inimiga do delator.

Esses critérios não valeram para **Joana D'Arc**. Foi queimada viva aos dezenove anos e era filha de camponeses bem de vida. Mas o manual certamente norteou o processo da guerreira ruiva e analfabeta, executada a 30 de maio de 1431, na cidade francesa de Rouen, já que uma das acusações que pesavam contra ela, além de vestir-se como um homem, era a de ouvir vozes que lhe indicavam o caminho das vitórias em batalhas contra os ingleses. O que não impediu a Igreja francesa de entregá-la aos inimigos.

Vozes, masculinidade e virgindade eram apenas cortina da fumaça. A questão era eminentemente política. A comandante militar acabou virando apenas mais uma vítima da Guerra dos Cem Anos e do patriarcalismo dominante. Quatro séculos depois, canonizada pelo papa Bento XV, tornou-se padroeira da França e seria interpretada no cinema pela diva sueca **Ingrid Bergman**, que, por sua vez, quase vira churrasquinho na ilha de Stromboli, após a 2ª Guerra, por causa de um romance "proibido" com o diretor Roberto Rossellini, casado com **Anna Magnani**, a Mama Roma.

Sem contar as denunciadas, que passaram o diabo e carregaram o estigma por toda a vida, mais de 100 mil mulheres foram queimadas em nome de Deus.

Outro mistério, de grande atualidade: o que teria levado as icamiabas a se resguardar assim tão firme do mundo masculino, defendidas por muralhas. Eram as icamiabas radicais precursoras de **Simone de Bouvoir**? A filósofa francesa, em seu livro *O segundo sexo*, de repercussão mundial, publicado em 1949, põe duas epígrafes, a primeira do filósofo dinamarquês Soren Kierkegaard:

> QUE DESGRAÇA SER MULHER! ENTRETANTO, A PIOR DESGRAÇA QUANDO SE É MULHER É, NO FUNDO, NÃO COMPREENDER QUE O SER É UMA DESGRAÇA.

A outra, de Jean-Paul Sartre, o homem com quem Simone viveu um relacionamento nada convencional que durou cinquenta anos, formando um dos casais mais célebres da história:

> METADE VÍTIMAS, METADE CÚMPLICES, COMO TODO O MUNDO.

Na orelha, possivelmente escrita pelo tradutor Sérgio Milliet, intelectual paulista, lemos este resumo do que trata o livro:

> AS MULHERES DE NOSSOS DIAS ESTÃO PRESTES A DESTRUIR O MITO DO "ETERNO FEMININO": A DONZELA INGÊNUA, A VIRGEM PROFISSIONAL, A MULHER QUE VALORIZA O PREÇO DO COQUETISMO, A CAÇADORA DE MARIDOS, A MÃE ABSORVENTE, A FRAGILIDADE ERGUIDA COMO ESCUDO CONTRA A AGRESSÃO MASCULINA. ELAS COMEÇAM A AFIRMAR SUA INDEPENDÊNCIA ANTE O HOMEM; NÃO SEM DIFICULDADES E ANGÚSTIAS, PORQUE, EDUCADAS POR MULHERES NUM GINECEU SOCIALMENTE ADMITIDO, SEU DESTINO NORMAL SERIA O CASAMENTO, QUE AS TRANSFORMARIA EM OBJETO DA SUPREMACIA MASCULINA.

O livro saiu no pós-guerra, às vésperas dos anos 1950 do século passado. Com os maridos e namorados no *front*, a guerra foi sexualmente libertadora principalmente para as mulheres que se aventuraram no mercado de trabalho nos EUA. O explosivo *Relatório Kinsey — A conduta sexual da mulher*, do biólogo Alfred Kinsey, publicado em 1953, deu uma ideia clara do salto triplo carpado que protagonizaram no período em que a automação encurtava a jornada de trabalho, dando mais tempo à procura de sexo e prazer; a pílula, recentemente desenvolvida, era coqueluche, para usar uma expressão da época; e o biquíni deixava de ser um atol de testes atômicos e começava a explodir nas praias. De lá para cá, muita água rolou debaixo da ponte desse rio. A filósofa francesa que o mundo consagrou estava rigorosamente certa.

Posso imaginar que a solteirice e o isolamento das icamiabas deixaram intrigado o letrado e erudito frei Gaspar, que saiu do roteiro habitual, livrou-se de cara das visões demoníacas — a primeira pergunta dos Torquemadas nos interrogatórios das bruxas é se haviam transado com o diabo no sabá — e associou-as às amazonas (no grego das antigas civilizações helênicas, "as que não têm seios"; para melhor manejar o arco, arrancavam um deles — na verdade elas usavam uma faixa em um dos seios para facilitar a empunhadura da arma). A coroa espanhola, contudo, era mais complacente. Em vez de mandar as bruxas para a fogueira, preferia emitir-lhes carteirinha de loucas.

As novas amazonas foram tão marcantes, e o ataque aos exploradores espanhóis tão violento, que o frade escriba as confundiu com o mito grego das Amazonas, e Orellana concedeu rebatizar o rio como Amazonas, sem

saber que estava no maior do mundo (6.992 km), com 1.100 afluentes que serpeiam como as veias sinuosas de uma folha neste planeta da água, do verde, do sol. E sem saber que abaixo dele corre um Amazonas subterrâneo (4.000 km), batizado com o nome de Hamza, seu descobridor em 2011. Um achado tão promissor que um dia viria a batizar o maior estado brasileiro (1.571.000 km²) e a própria região que começava a explorar. A Amazônia ocupa mais da metade do território brasileiro (5.500.000 km²), xodó do planeta, alvo de eterna cobiça internacional.

É legítimo supor que, ao longo da viagem, outros mitos e histórias de mulheres extremadas dominaram as conversas do frei e seu comandante. O tempo-rio é propício. E ali estavam os botos saltando em torno deles já no verde Tapajós, que também corre por quilômetros sem se misturar ao caudal barrento do Amazonas.

Com uma tropa reduzida, melhor evitar um confronto com a populosa e equipada tribo que vivia ali, ver ao largo as praias magníficas, de areia reluzindo ao meio-dia como a neve dos Andes; intermináveis bosques de pau-rosa, árvore da qual é extraída uma essência fixadora de perfumes, inclusive o Chanel, com o qual **Marilyn Monroe**, o último mito do telão, dormia com uma gota apenas, sem mais nada. Optaram por mapear as novas terras e um dia voltar com reforços para a ocupação definitiva, tarefa que, afinal, restou aos portugueses.

Enquanto a história seguia seu curso, melhor falar do Velho Testamento (Eva) e do Novo Testamento (Madalena), volumes que estavam ali, encadernados em capa dura, para isso mesmo. Longos debates podem ter sido travados. Na sopa de letrinhas que frei Gaspar sacou só faltaram os versos de *Papai Adão*, marchinha carnavalesca composta quatro séculos depois por Klécius Caldas e Armando

Cavalcanti, bem na medida para a voz de Blecaute, o General da Banda, que antecipava a supremacia feminina de forma bem-humorada:

> Papai Adão, papai Adão
> Papai Adão já foi o tal
> Hoje é Eva quem manobra
> E a culpada foi a cobra
> Uma folha de parreira
> Uma Eva sem juízo/
> Um cobra traiçoeira
> Lá se foi o Paraíso
> Hoje é Eva quem manobra
> E a culpada foi cobra

É sabido que Adão angariou sólida fama de bundão e dedo-duro por entregar Eva — "Foi ela! Foi ela!" — assim que levou aquela prensa do Senhor por ter dado uma mordida no fruto proibido da árvore do conhecimento do bem e do mal lá no Jardim do Éden, que um dia seria a marca da Apple.

Aqui cabe, entre parênteses, um protesto de quem acha que a maçã nada tem de pecaminosa, ao contrário do bacuri, do cupuaçu e do taperebá (também chamado cajá), que a tropa de Orellana tem ali à mão. Pecaminosa é a manga, fruta "estrangeira" que aportou no brasilíndio bem depois da expedição. Pecaminosa é a banana, que levou a Corte portuguesa a executar em praça pública, por heresia, o profeta português Pedro de Rates Henequim (de pai holandês). Ele sustentava que o fruto proibido era ela, a banana.

Antes disso, o casal circulava pelo Jardim do Éden numa nudez de deixar o MBL louco. Mas, dando um rolé sem a

cara-metade, já com os nervos à flor da pele com as piadinhas dele —, "Você é apenas uma costela!" — Eva cruzou de novo com a serpente, que insistia em que ela desse uma mordidinha no tal fruto proibido. Eva deu e convenceu Adão a também dar, sem duplo sentido. Adão achou que a maçã estava com gosto de figo. Afinal, foi catada de uma figueira, e não há registro de maçã no Paraíso instalado pelo Senhor no meio daquele deserto de calor cuiabano — vai ver, apesar da publicidade, não passava de um oásis.

Já ostentavam uma folha dessa figueira, segundo a Bíblia, quando o Senhor os encontrou escondidos atrás de um arbusto, com uma cara marota de que houve coisa bem mais empolgante que a "sem-gracice" de um figo. Passou-lhes um sabão, cortou-lhes rente a vida eterna, o cartão de crédito, tudo. E os baniu do paraíso.

Eva teve uma dupla condenação, bolada pelos velhinhos que escreviam a Bíblia na Babilônia, entre um e outro êxodo. Por causa do desejo, além de perder os benefícios do Paraíso, seria praticamente uma escrava de Adão. E a cobra iria rolar como as pedras que rolam na estrada, que resultou num verso da irada canção "Nervos de Aço", de Lupicínio Rodrigues, e numa banda inglesa de *rock* chamada Rolling Stone, de ostensiva "Sympathy For The Devil".

Clanc! As portas do Paraíso foram fechadas por dois querubins. Havia inúmeros relatos de que ele existia, guardado por criaturas que deixavam no chinelo a turma de *O Senhor dos Anéis*. As cartografias medievais estão assim de ilhas defendidas por monstros devoradores de quem aportava nessas aparentadas do Éden, como uma certa Brazi e outras intituladas Bracir, Berzil... Isso devia deixar sobressaltado e insone o culto frei Gaspar durante a travessia.

O Novo Testamento é a mesma história. Maria Madalena — Maria de Magdala —, que aparece bonita na fita, a ponto de Jesus lhe dar um alô após a ressurreição, antes de subir aos céus, passou a ser vilipendiada de todo jeito no decorrer dos séculos. Logo Jesus, que viveu e morreu cercado pela ternura das mulheres, e nem de longe mereceu o apelido de "maricas da Palestina" que lhe foi pespegado pelo masturbador crônico da novela de Philip Roth intitulada *Complexo de Portnoy*.

É sempre bom lembrar que o amor a Cristo projetou outras figuras femininas. Uma delas a freira Hildegarda de Bingen, estudiosa de ciências médicas, que viveu no século XII, admirada pelas feministas por ter se imposto como intelectual em época de "machonaria" total e irrestrita. E, veja só, foi canonizada por Bento XVI, seu conterrâneo. Ele, o papa nazi. Não se pode esquecer também Clara de Assis, seguidora de Francisco e criadora da Ordem das Clarissas (ou de Santa Clara). Tampouco Catarina de Siena, mística e doutora da Igreja, ativista na cidade de Toscana.

E não esqueçamos o exemplo de Rita de Cássia, a Santa das Causas Impossíveis. Quando não era santa, fazia a mulher submissa dos sonhos do carola Ives Gandra Filho, ministro do Tribunal Superior do Trabalho e membro da Opus Dei.

Eis que um dia, de repente — não mais que de repente —, tudo mudou. O marido, violento pinguço, chegou dando rasteira em cobra e pontapé em cego. E — ó desgraça — um passarinho fez cocô na mesa de jantar onde a truculenta figura desabou na cabeceira. Ela — em ritmo de The Flash — cobriu o cocô com um dos pratos e, pressurosa, perguntou o que o brutamontes queria. "Mierda!", bradou. E aí veio a revelação divina. Rita de Cássia retirou o prato sobre o cocô e disse: "Aquí la tienes".

Essas mulheres, com suas lutas em épocas remotas, podem ter servido de inspiração para feministas que, com seus protestos, levaram à revogação de uma lei brutal adotada na Inglaterra em 1864, que obrigava suspeitas de disseminar doenças venéreas a se submeter a exames médicos e usar roupas amarelas até a cura. Eram segregadas em áreas chamadas "enfermarias das canárias".

Em outro continente, a América, a ação de donos da moral, mais ou menos na mesma época, levou quinze mulheres acusadas de imoralidade a cometer suicídio para escapar da humilhação de um julgamento público, para responder por aborto, venda de dispositivos anticoncepcionais, e uma delas por ter escrito o manual de casamento *A noite de núpcias*.

Batalhas desse tipo provocaram a prisão da feminista radical Victoria Woodhull, que em 1872, como candidata presidencial do Partido dos Direitos Iguais, se batia pelo amor livre, o voto das mulheres, leis de divórcio mais indulgentes e controle de natalidade.

O apóstolo Paulo é apresentado pelo jornalista norte-americano D.M. Bennett, paladino das liberdades civis no seu tempo, a segunda metade do século XIX, como o homem que iniciou a tradição antifeminista da Igreja romana. Bennett, aparentemente sem parentesco com o cartunista da *Folha* Alberto Benett e com o mesmo espírito libertário, lembrava em seu jornal as atrocidades de Matthew Hopkins, duzentos anos antes, este com parentesco apenas com o personagem de Anthony Hopkins, Hannibal Lecter.

Gay Talese nos conta estas histórias espantosas em seu *best-seller A mulher do próximo*, Talese também conta que Matthew Hopkins, caçador de bruxas do século XVII, estava investido de autoridade legal para rondar furtivamente propriedades da Inglaterra durante a guerra civil inglesa, agarrando suas vítimas onde quer que pudesse encontrá-las. Coitado, vivia na cadeia por sentar a pua em seu jornal em papas e líderes religiosos como Lutero e Calvino.

O cristianismo torna-se a religião oficial do Império Romano três séculos depois da morte de Jesus. Fragmentado pelas invasões bárbaras, busca-se na figura de Maria, mãe do Salvador, uma contrapartida à deusa Ísis, ainda alvo de grandes cultos. Cresce, na luta pelo celibato sacerdotal, o mito da Virgem.

Apenas sacerdotes podem fazer a conexão com Deus. Em algumas imagens, a Virgem aparece sobre um chifre. É o chifre do boi Ápis, deus egípcio da fertilidade. Noutras, esmaga a cabeça de uma serpente, que nos remete às desventuras de Adão e Eva por conta da lambança do fruto proibido.

A Imaculada Conceição é solenemente definida como dogma pelo papa Pio IX, apoiado na Bíblia, em 8 de dezembro de 1854. Uma novela sangrenta que se estende por séculos. A Igreja católica considera que o dogma é apoiado pela Bíblia, que registra o anúncio do arcanjo Gabriel à Virgem Maria de que ela seria mãe por meio de um milagre. Estava consagrada a negação do sexo aos mais virtuosos.

Aliás, o mesmo arcanjo Gabriel, que vivia numa impecável maré mansa nas alturas, resolveu baixar de novo à Terra já no século VII, em aparição especial numa caverna da Arábia para o comerciante Maomé. Veio com o anúncio do *Alcorão*, abrindo outra frente de batalha por corações e mentes. Pelo visto, a fidelidade religiosa não era o forte do arcanjo.

E, nesses debates, perdem-se frei Gaspar e Orellana. Para contrabalançar, no balanço do rio eventualmente tormentoso, evocam de novo o lusco-fusco entre a mitologia e a história lá no reino de Afrodite, onde o amor passa dos limites, como ensina **Rita Lee**.

 Penélope, da *Odisseia*, tecendo interminável teia à espera de Ulisses; toda a literatura europeia nascendo na Ilíada por causa da mulher — na verdade, uma menina disputada por Agamenon e Aquiles, enquanto o deus Apolo se rói de ódio; a *Ilíada* e a *Odisseia*, de Homero, de 3 mil anos que levariam Safo — poetisa, musa e sábia reverenciada por Platão — a criar nos anos 600 a.C., no mar Egeu, academias em torno de si, baseadas no companheirismo.

 Isso tudo com um ponto de vista delas para dominar as artes na poesia, na dança, na música. Safo também cria o verbo lesbiar, deixando claro que, do lar, era a sua vovozinha. E na Ilha de Lesbos, ela e suas amigas se abeberam de toda a cultura, debate e sexualidade que os homens supõem monopólio deles.

 Frei Gaspar e Orellana não sabem que estão quase no fim da viagem ao se deparar com a M'Bara-yo, o anteparo do mar, a Ilha do Marajó — um arquipélago de cerca de 2 mil ilhas. Orellana se perderia no emaranhado delas em 1550 tentando encontrar a entrada do Amazonas, na condição de

governador-geral do território. Morreu de malária na costa da atual Guiana Francesa.

Aos 44 anos, coberto de glória, de feição imponente, pode-se imaginar que procurava com ainda maior sofreguidão reencontrar as amazonas, das quais fazia exaltadas descrições.

Caso pudesse viajar no tempo, mesmo com o formidável encontro com as amazonas, não deixaria de ficar impressionado com outras maravilhas de mulheres destemidas que pontuariam o reino deste mundo nos séculos seguintes. Bruxas no melhor sentido possível, maravilhosas no sentido de cheias de maravilhas, como **Dandara dos Palmares, Chica da Silva, Maria Quitéria, Nísia Floresta, Anita Garibaldi, Chiquinha Gonzaga** ...

E cosi la nave va.

ANOS 1900

Ô ABRE-ALAS!

Em qualquer época dos seus trepidantes 87 anos, entre o Segundo Reinado escravocrata e a República Velha da tardia *belle époque*, nostálgica da escravidão, a compositora, pianista e maestrina **Chiquinha Gonzaga** (1847-1935) estava fazendo uma revolução.

Pela intensidade com que viveu, melhor dizer que fazia uma revolução por dia para a sua garantia. Muito antes de Simone de Beauvoir e da marchinha "Chiquita Bacana, lá da Martinica", sucesso do Carnaval de 1949, de João de Barro e Alberto Ribeiro – composta para seguir a moda da imprensa em ressaltar os existencialistas, Chiquinha já era existencialista. Com toda razão, só fazia o que seu coração mandava.

Estava sempre três lances à frente, qual uma boa jogadora de xadrez. Foi, por exemplo, a única presença feminina entre os luminares que criaram a Sociedade Brasileira de Autores Teatrais (SBAT) em 1916, uma batalha que conduziu com o jornalista, escritor e dândi João do Rio, o primeiro presidente da entidade e, naquele ano, par constante da bailarina norte-americana Isadora Duncan, pioneira da dança moderna, em turnê pelo Brasil. *Sorry*, periferia!

A criação da SBAT levou de novo à ribalta **Chiquinha Gonzaga**, se é que havia saído de cena algum dia. Dois anos antes, ao apagar das luzes do governo impopular de Hermes da Fonseca, "de perna fina e bunda seca", como o povo dizia, mesmo sem marcar presença, protagonizou um escândalo durante sarau no Palácio do Catete. Não foi exatamente Chiquinha quem arrepiou, mas a primeira-dama **Nair de Teffé**, também da pá-virada, caricaturista de truz. Depois de dedilhar Liszt ao piano e cantarolar "Le Chant du gondolier", tocou o tango "Gaúcho", de Chiquinha Gonzaga, tachado de indecente pela Igreja católica. E pior: ao violão, instrumento malvisto pelos bem-nascidos.

No dia seguinte, Rui Barbosa demoliu **Nair de Teffé**, **Chiquinha Gonzaga** e o tango na tribuna do Senado. Como é que se toca uma perversão dessas "diante da mais fina sociedade do Rio de Janeiro?", perguntou o Águia de Haia. Para ele, aquela versão instrumental de "Corta-jaca", lançada duas décadas antes por Pepa Ruiz no teatro de revista *Zizinha Maxixe*, era a mais deslavada gandaia.

> Ai! Ai! Que bom cortar a jaca
> Ai! Sim! Meu bem, ataca
> Sem descansar

Pior ainda. Não era tango coisíssima nenhuma. Era o tal maxixe — "a mais baixa, a mais chula, a mais grosseira de todas as danças selvagens, gêmea do batuque, do cateretê e do samba", bateu sem dó nem ré o senador —, que a Sagrada Família abominava mais ainda. A ironia é que esse foi o único momento de popularidade de um presidente desprezado pelo povo, burro, azarento, lazarento, autoritário e chegado ao militarismo prussiano.

Essa era a *pièce de résistence* de **Chiquinha Gonzaga**: abalar os alicerces da Sagrada Família. Tomou-se de amores, aos 52 anos, por João Batista de Carvalho, um jovem estudante de música com dezesseis, que apresentava nos salões como filho. Quem poderia imaginar que viviam uma paixão intensa que se estendeu até a morte da compositora, em 28 de fevereiro de 1935?

Chiquinha se acostumou a enfrentar oposições desde jovem, provindas de sua família de pretensões aristocráticas, e viveu um eterno perrengue. O pai, militar, e a mãe, filha de escravos, não estavam nem aí para a paixão de Francisca Edwiges Neves Gonzaga pela música desde a mais tenra idade — a primeira de suas 2 mil composições surgiu aos onze anos. Queriam que cumprisse o roteiro preestabelecido para as "pessoas de bem", que é como se classificam os membros da Ku Klux Klan americana. O casamento com algum latifundiário. O problema é que **Chiquinha**, tal como o irlandês George Bernard Shaw, só queria que os homens de bem se arrependessem. E despachou o primeiro marido assim que este a confrontou: "Ou eu ou o piano!".

O primeiro casamento de **Chiquinha** com um engenheiro de estradas de ferro foi um desastre ferroviário. Aos dezesseis anos, por imposição da família do pai, casou-se com Jacinto Ribeiro do Amaral, oficial da Armada Imperial, e logo engravidou. Mas não suportou as longas ausências do marido sempre embarcado, as humilhações, menos ainda as ordens dele para que não se envolvesse com a música. **Chiquinha**, após anos de casada e três filhos, separou-se, o que foi um escândalo, na época.

O marido, do tipo carrasco, não permitiu que **Chiquinha** cuidasse dos filhos mais novos — Maria do Patrocínio e Hilário. Ela lutou muito para ter os três juntos, mas foi em vão. O caso foi parar no Tribunal Eclesiástico do Bispado do Rio, que, como toda a sociedade na época, condenava e punia moral e severamente toda mulher que ousasse se separar. Resultado: a maestrina, acusada de adultério e abandono do lar, declarada morta pelos pais, pôde ficar apenas com o filho mais velho, João Gualberto. E para sustentar a ambos, teve que se virar dando aulas particulares a futuros "pianeiros". Que, naturalmente, exultaram com a separação.

O que diferenciava **Chiquinha Gonzaga** entre os compositores era o fato de, desde criança, frequentar rodas de lundu, umbigada e outros ritmos da África, cujos ritmos e sonoridades a ajudaram na construção de um estilo bastante particular.

Esses dissabores domésticos nunca a deixaram abraçada a qualquer rancor. Não havia tempo para isso. Abraçava, sim, causas populares fundamentais. A maior de todas naquele tempo: a abolição. Despontava como estrela solitária entre pesos pesados da elite intelectual, como José do Patrocínio e Joaquim Nabuco. A luta de **Chiquinha** contra a escravatura foi muito além da assinatura da mais importante lei da história do Brasil, a de número 3.353 do dia 13 de maio de 1888, assinada pela princesa Isabel empunhando uma pena dourada, lei essa que, em nossos dias, infelizmente, está em pleno processo de desmonte.

Pioneira e "pianeira", na data de seu nascimento, 17 de outubro, o Brasil comemora o Dia Nacional da Música Popular Brasileira. Sua marchinha "Ô Abre Alas" é o hino carnavalesco mais tocado no Brasil desde 1889, quando foi composta.

Essa música preparava o país para A VIRADA DO SÉCULO.

★ ★ ★ ★ ★

A primeira namoradinha do Brasil chegou pelas mãos de Machado de Assis no romance *Dom Casmurro*, publicado em 1900. Os olhos de ressaca de Capitu estão em alta até hoje.

Inana é uma deusa na mitologia dos antigos sumérios (do amor, do erotismo, da fecundidade e da fertilidade e irmã do deus-sol Utu). Era cultuada em Ur, em todas as cidades sumérias. Mas Inana foi também uma imensa deusa italiana da macarronada na Capital Federal. Diziam que sua macarronada valia por vinte aulas sobre a cultura italiana, que à época desembarcava no Brasil. Quando ficava pronta, o marido fazia o reclame na porta: "Está na hora da Inana!" *Mamma and papas* atiçando as papilas gustativas do patropi.

👉 A atriz e nadadora australiana **ANNETTE KELLERMAN** é a primeira mulher a tentar atravessar a nado o canal da Mancha, em 1905. Não consegue, mas a feminista nada de braçada na defesa de um direito líquido e certo: o uso do maiô – uma peça única que vai até os pés. Em 1907 é presa em Massachusetts por usar o "indecente" *collant* preto em público. Não cola.

Os "maiôs Annette Kellerman" já são tão populares quanto ela.

ISSO É QUE É SOLIDARIEDADE UNIVERSAL:

OS PROLETÁRIOS NA RÚSSIA LUTANDO CONTRA O CZAR, OS JORNAIS OPERÁRIOS DAQUI PEDINDO O SALÁRIO DE UM DIA PARA ENVIAR A ELES. NO RIO, A OPERÁRIA MATILDE ABRIU A LISTA COM MIL-RÉIS.

Emmeline Pankhurst, vivida no cinema por Meryl Streep em *As sufragistas*, funda a União Social e Política das Mulheres, na Londres de 1903, base das extraordinárias manifestações na década seguinte, em que o filme é ambientado. A repressão é brutal; as conquistas, lentas e graduais. Em 14 de dezembro de 1918, é aprovada uma lei que assegura o direito de voto apenas às mulheres com mais de trinta anos. Emmeline é uma das cem pessoas mais influentes do século XX segundo a revista *Time*.

AS MULHERES SE LIVRAM DA RAINHA VITÓRIA E (UFA!) DOS ESPARTILHOS.

Passam a exibir silhuetas, formas e contornos nunca vistos.

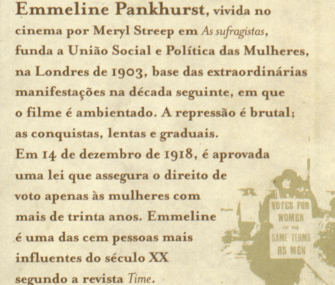

AVE, PALAVRA!

É bem possível que a anarcossindicalista Juana Rouco Buela (Madri 1889 – Buenos Aires 1969) nunca tenha usado a expressão "não tenho palavras". Oradora feminista de prestígio internacional, comovia e levantava multidões. Profissional da costura, alinhavava as frases ao sabor da emoção.

Depois de sua fala no cemitério do Araçá, no dia 12 de julho de 1917 —, a última —, no sepultamento do sapateiro José Martinez, 21 anos, espanhol como ela, morto três dias antes pela Força Pública Paulista — o cadáver consolidou a sublevação. A greve, iniciada havia dois meses, já era geral e irrestrita.

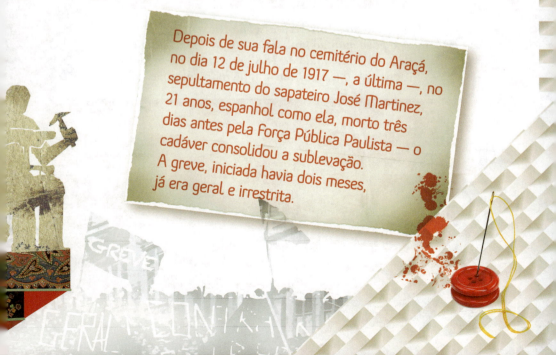

A Grande Greve de 1917, na qual as mulheres tiveram papel decisivo, começou muito timidamente no Cotonifício Crespi, na rua Javari. Ali, sete anos depois, nasceria o Club Atlético Juventus, no bairro da Mooca. Em plena 1ª Guerra Mundial, o conde Rodolfo Crespi se recusou, de forma selvagem, a reduzir a jornada noturna e dar o aumento de 20% reivindicado por seus 2 mil operários. Além disso, mordia parte dos salários deles para o esforço de guerra que apoiava, ao passo que os trabalhadores, em sua maioria italianos com a filharada a tiracolo, não.

Nas caminhadas, mulheres e crianças saíam nas comissões de frente com faixas e bandeiras por outros bairros e fábricas da cidade, então com meio milhão de viventes, em busca de apoio e solidariedade. Contavam também com o suporte da vigorosa imprensa anarquista — *A Plebe*, *Guerra Sociale*, *Combate*, *A Razão*, *La Bataglia*, *A Barricada* —, que dava a "linha justa" antes dos comunistas — no ano em que eclodia a Revolução Russa com suas ideias libertárias.

Como as mulheres russas, distribuíam folhetos pelas ruas da região pedindo aos soldados que não atacassem os operários. O texto, publicado na revista carioca *O Debate*, de Astrojildo Pereira, ganhou elogios de Lima Barreto. Eis um trecho:

> "O soldado brasileiro recusa-se, no Rio, em 1917, a atirar sobre o povo quando protestava contra a revolta do vintém e até o dia 13 de maio de 1888 recusava-se a ir contra os escravos que se rebelavam, fugindo do cativeiro."

As adesões à greve engrossavam — operários da estamparia Nemi Jafet e Cia, no Ipiranga, da Votorantim, de Sorocaba e de outras indústrias —, e a truculência policial também. Um boicote aos produtos de Rodolfo Crespi foi armado no interior de São Paulo e em outros Estados — Rio, Minas Gerais e Rio Grande do Sul. O movimento ganhou fôlego e uma marcha foi organizada para o dia 3 de julho, dos bairros para a Praça da Sé, onde nascia a nova catedral. E chegavam adesões de peso inestimável, como a dos trabalhadores da Companhia Antártica Paulista, também na Mooca.

No princípio era a banha. Mas, em 1917, Francesco Matarazzo já ostentava o título de "homem mais rico do Brasil", dono do moinho que exportava trigo para a Itália. Ele ainda festejava o título de conde, concedido pelo rei Vitorio Emanuele III, quando outra marcha desafiou a menina dos olhos de seu império. Os grevistas queriam parar a Indústria Têxtil Mariângela, no Brás.

Um *show* de polícia resultou na morte do desventurado imigrante José Martinez, de uma Espanha que se mantinha neutra no conflito mundial, enquanto 600 mil italianos eram ceifados como moscas nas trincheiras.

Logo, 35 empresas pararam e 20 mil operários cruzaram os braços. Os condutores da canadense *Light and Power Company* aderiram, e os bondes saíram de circulação. A repressão foi macabra: o ítalo-brasileiro José Luiz Del Roio, ex-senador italiano e deputado da União Europeia até 2008, contabiliza pelo menos cem pessoas mortas na repressão.

Ele se desvanece com a figura de Juana, que descreve com fortes tintas em seu livro *A greve de 1917*. Foi aos onze anos para a Argentina. Ligou-se ao anarquismo e ao sindicalismo. Fez jornais, participou de greves, ganhou fama de magnífica oradora. Voltou para a Espanha, mas precisou fugir de novo. Dessa vez para o Uruguai, onde ficou presa por um ano.

Com a guerra mundial prestes a explodir, tentou ir para a França, mas o capitão do navio a obrigou a desembarcar no Rio de Janeiro. Viveu passando roupa e dentro de agitações como a Grande Greve Brasileira. Morreu em Buenos Aires, em 1969.

Quanto a Rodolfo Crespi, nos anos 1920 mandaria tecidos para confeccionar as camisas negras dos partidários de Benito Mussolini.

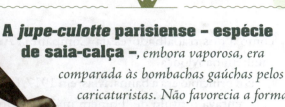

A *jupe-culotte* parisiense – espécie de saia-calça –, embora vaporosa, era comparada às bombachas gaúchas pelos caricaturistas. Não favorecia a forma de ninguém. Apesar disso, uma dama carioca quase foi linchada ao exibir o modelito na avenida Rio Branco, em 1911.

O samba, que vem da expressão angolana semba, nasceu lá na Bahia. O de roda veio para o Rio com as tias baianas que fugiram de lá por causa da repressão ao candomblé. Entre elas, Tia Ciata — nascida em Santo Amaro da Purificação, terra de Dona Canô, mãe de Caetano Veloso e Maria Betânia —, que também escapou de um malandro por quem se enrabichou logo ao chegar. Paramentada de baiana, armou tabuleiro de quitutes na Praça Onze para sustentar a filha. Casou-se com um médico negro bem-sucedido, com quem teve catorze filhos. Tornou-se uma entidade. Em 1912, a Casa da Tia Ciata era a matriz do samba na Pequena África, como era conhecida a Praça Onze tão querida. Fez do Carnaval a própria vida até 1944, ano de abertura da avenida Presidente Vargas e do samba de Herivelto Martins: "Vão acabar com a Praça Onze/ Não vai haver mais escolas de samba, / não vai".

A atriz **Sarah Bernhardt** esteve quatro vezes no Brasil, duas no Segundo Império. A última em 1915. Se fosse hoje, os cariocas diriam: "Lá vem de novo a chata da Sarah!". Consagrada como a maior atriz do mundo, a produção dormiu no ponto: não pôs o monte de colchões em que ela deveria pousar no lugar devido após um salto numa cena de suicídio no Teatro Municipal. Teve que amputar uma perna em consequência da terrível queda no vazio.

Mulheres do Rio

Passeata de mulheres sufragistas provoca arrepio. Acontece em 1917, com o mundo em chamas. À frente, a indigenista **Leolinda Daltro** (1859-1935) e a bióloga **Bertha Lutz**. Que dupla! Merece uma boa pincelada:

Leolinda era chamada nas ruas "Mulher do Diabo". Separada, professora, sufragista e indigenista brasileira. Baiana sem papas na língua, politizada, feminista, anticlerical, defensora dos índios. Leolinda era tudo isso. E muito mais: achava que amar uma só pessoa era antissocial. Teve cinco filhos, que deixava aos cuidados da família.

Integrou o Serviço de Proteção aos Índios em seu nascedouro (1910), e defendeu a vida toda a escolarização laica. **Em 1910, Leolinda fundou o Partido Republicano Feminino antes do direito ao voto feminino**. Ele só chegou com Getúlio, em 1932, e Leolinda o viu ser instituído. Morreu três anos depois num acidente de carro. Em 2013, o estado do Rio passou a conceder o Diploma Cidadã Mulher Leolinda de Figueiredo Daltro a dez mulheres aguerridas como ela.

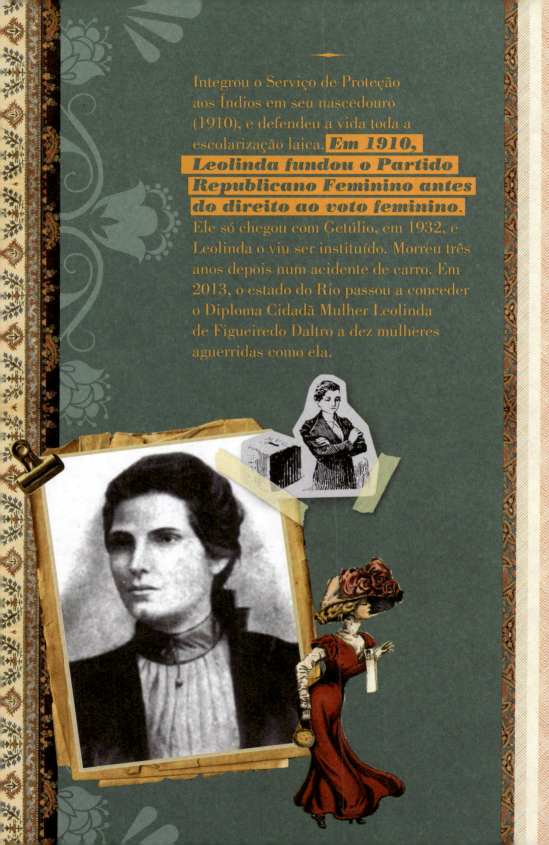

Bertha Lutz (1894-1976), bióloga brasileira especializada em anfíbios e guerreira pelos direitos da mulheres. Filha do cientista Adolfo Lutz, hoje nome de Instituto, e da enfermeira inglesa Amy Bruce Lee — formou-se pela Sorbonne e usou o método dos biólogos — ver pra crer — em todos os aspectos da vida.

Tomou na veia os movimentos feministas europeu e norte-americano os repassou aqui para gregas e goianas. Fundou a Federação Brasileira pelo Progresso Feminino, representou o país na Liga das Mulheres Eleitoras, nos Estados Unidos. Saiu de lá vice-presidente da Sociedade Pan-Americana.

Não lhe bastou o direito ao voto assegurado pelo Código Eleitoral de 1932. Lutou para que esse direito também fosse assegurado pela Constituição de 1934. Teve pleno êxito.

Tornou-se advogada para melhor defender os direitos femininos, e após tentar duas vezes, elegeu-se deputada federal em 1933.

Suas contribuições legislativas são imorredouras no direito feminino ao trabalho, contra o trabalho infantil, direito a licença maternidade, equiparação de salários.

Quando ocorreu o golpe do Estado Novo, "imparável", foi cuidar das nossas coisas no Museu Nacional até se aposentar, em 1965 — se é que mulheres como ela se aposentam.

Em 2017, a perereca *Aplastodiscus Lutzorum*, nativa do cerrado brasileiro, foi assim batizada em sua homenagem.

ANOS 1920

PLANETA PAGU

O Instituto Patrícia Galvão não falou de flores no fim da Primavera de 2017. Ecoou devastadora pesquisa da Unesco acerca do genocídio de jovens negras no Brasil. À tragédia:

As negras com idade entre 29 anos têm 2,19 vezes mais chances de ser assassinadas do que as brancas na mesma faixa etária. No topo da desigualdade estão o Rio Grande do Norte, onde morrem 8,11 vezes mais do que as jovens brancas, e o Amazonas, cujo risco relativo é de 6,97.

Em terceiro lugar aparece a Paraíba, onde a chance de uma jovem negra ser assassinada é 5,65 vezes maior do que a de uma jovem branca. Em quarto, o Distrito Federal, com risco relativo de 4,72.

Em Alagoas e Roraima não havia base para cálculo, por não ter sido registrado nenhum homicídio de mulher branca nessa faixa etária em 2015, mas as taxas de mortalidade entre jovens negras nesses estados foram assustadoras: 10,7 e 9,5 mortes por 100 mil habitantes.

Por que a mídia repercutiu no Instituto Patrícia Galvão assim que esses números foram divulgados? Pela credibilidade e a atualidade de Pagu, 55 anos após a sua morte.

--x--0--x--

Patrícia Rehder Galvão (9/6/1910--12/12/1962), conhecida como Pagu — tradutora, poeta, escritora, jornalista, diretora de teatro e desenhista —, veio com a onda modernista dos anos 1920 e nunca mais saiu de cena, embora não tenha participado da Semana de Arte Moderna de 1922, por ter, na época, apenas doze anos. Empenhou-se em todas das chamadas causas identitárias que hoje florescem no planeta, nas grandes batalhas políticas.

Artigo de Alessandra Monterastelli publicado em dezembro de 2017 no site *Vermelho*, traz as seguintes informações:

O antropólogo Darcy Ribeiro não hesitava um segundo em dizer que foi a maior intelectual feminina do seu tempo, "a brasileira mais inteligente de sua geração". Darcy se derrete: "Moderna, bela e assanhada, escreve e desenha, menina ainda, seu primeiro livro: Pagu. Um caderninho sacaníssimo".

Deve ter sido por essa época que a menina de São João da Boa Vista namorou um jornalista casado de Bragança Paulista, Olympio Guilherme, de *A Gazeta*, em São Paulo, que ficou conhecido quando foi contratado pela FOX por sua incrível semelhança com Rodolfo Valentino, que acabara de morrer. O escritor Antonio Sonsin, conterrâneo de Olympio, flagrou o casal apaixonado em caminhadas na rua XV de Novembro e na redação de *A Gazeta*, em que Pagu passou a colaborar com entrevistas que fez com artistas de Hollywood.

A presença de Pagu é vívida na capital paulista. Merece um roteiro turístico. Na rua Augusta, na região conhecida como Baixo Augusta, está o casarão em que viveu com Oswald de Andrade, que hoje abriga a cantina Piolim, reduto da classe artística. Um pouco mais abaixo, na praça Roosevelt, funciona a Escola Municipal de Educação Infantil Patrícia Galvão. Guarulhos, o segundo maior colégio eleitoral do estado, também conta com uma escola com o nome dela. E se você pensa nos campos de soja que recobrem o país, a culpa é de Pagu: foi ela quem trouxe as primeiras sementes da China, em seu périplo como repórter pelo mundo.

Em Paris — conta-nos Alessandra Monterastelli no site *vermelho* —, a repórter-musa fez entrevistas com André Breton, Sigmund Freud. E ainda com Luís Carlos Prestes, em seu exílio em Buenos Aires, em 1930 — Getúlio, em 1929, lhe ofereceu o comando da revolução que ocorreria no ano seguinte; Prestes não aceitou, e foi para a capital portenha ser comunista na vida, atiçado por Astrojildo Pereira, um dos fundadores do partido no Brasil, em 1922.

Tudo que é humano não era estranho à repórter. A temática LGBT sempre esteve presente em seus textos: "Há meninas que nasceram errado, mas não querem se conformar em seguir as leis da natureza. Querem continuar meninas".

Definia a si mesma como "mulher de ferro, com zonas erógenas e aparelho digestivo". E batia sem dó na burguesia em sua coluna "A mulher do povo", publicada em *O Homem do Povo*, jornal tocado por ela e Oswald de Andrade — que deixou a pintora Tarsila do Amaral pela nova musa modernista.

Escrever essa coluna talvez fosse um treino intensivo para **Pagu** criar sua obra definitiva: *Parque Industrial*, o primeiro romance proletário brasileiro, publicado em 1933, assinando como Mara Lobo.

Pouco tempo depois, **Pagu** foi presa e barbarizada nos porões da tortura selvagem que se instalaram no país após a Intentona Comunista de 1935. E é espantosa sua atualidade.

O mundo deu mil voltas, e a pintora, desenhista, tradutora brasileira **Tarsila do Amaral** (1886-1973) deu uma volta redonda nos professores sabichões que, lá na Paris do começo dos anos 1920, diziam que as cores brasileiras que tentava imprimir em seus quadros não eram de bom-tom.

Pois foi exatamente isso que encantou os visitantes do Museu de Arte Moderna de Nova York, que dedicou uma exposição inteirinha a ela em 2018. Era esse frenesi de cores que estava presente em seu espírito quando flanava em Paris com o pintor catalão Picasso e o escultor romeno Constantin Brancusi.

Esse espírito exuberante e contestador prevaleceu em sua volta a São Paulo quando, junto com Oswald de Andrade, Anita Malfatti, Mario de Andrade e Menotti del Picchia, organizou a Semana de Arte Moderna, em 1922. No ano seguinte mandou o cubismo às favas, pintou "A Negra", encontrou seu estilo e não parou mais.

Em 1928, seu "Abaporu" resume a ópera. "É uma figura da modernidade, é um canibal, é uma figura assexual, é um monstro, é mulher, é uma figura universal", disse o curador da exposição Luiz Péres-Oramas. Não podia ser outro o símbolo do Movimento Antropofágico, assim como outro não podia ser o símbolo do movimento tropicalista dos anos 1960.

Tarsila, mulher eterna.

"Uma semana de escândalos literários e artísticos de meter os estribos na barriga da burguesiazinha paulistana", de acordo com o pintor Di Cavalcanti, lá no Teatro Municipal, ao som de **Guiomar Novaes** (1894-1979) – pianista brasileira de sólida carreira no exterior, sobretudo nos Estados Unidos, conhecida pelas interpretações das obras de Chopin e Schumann, e importante divulgadora de Villa-Lobos no exterior – e cores de **Anita Malffati** (artista plástica, pintora, desenhista e professora paulistana, 1889-1964) –, e **Tarsila**. Que trio! O baile dos modernistas seguiu no ano seguinte em Paris e chegou aos nossos dias. Basta ver a reencenação de "O Rei da Vela" por Zé Celso.

A cantora e dançarina do Harlem ADA "BRICKTOP" LOUISE SMITH (1894–1984) ganhou o apelido (literalmente "cocuruto cor de tijolo") devido aos cabelos sempre pintados de vermelho. Chegou em Paris em 1924 e foi descoberta por F. Scott Fitzgerald antes de Cole Porter. Manteve sua própria casa, Chez Bricktop, em Paris de 1924 a 1961, assim como outros *nightclubs* na cidade do México e Roma.

Josephine Baker (1906–1975) invade a França em 1925. Paris se rende incondicionalmente à cantora e dançarina norte-americana, naturalizada francesa em 1937, e conhecida pelos apelidos de Vênus Negra, Pérola Negra e ainda a Deusa Crioula. Uma festa permanente! Jean Cocteau declara que, com ela, "o erotismo descobria um estilo". Erich Maria Remarque a festeja: "uma lufada de ar selvagem, força elementar e beleza ao desgastado palco da civilização ocidental". O Marechal Tito lhe oferece uma ilha para abrigar as crianças de várias nacionalidades que adotou. Georges Simenon, o escritor oitentão, relembrava pouco antes de falecer, em 1989, que Josephine foi uma das suas maiores paixões, numa lista das mais de 10 mil mulheres com quem dizia ter feito amor.

As melindrosas, de vestido vaporoso e joelhos à mostra, se divertem nos desenhos geniais do chargista e ilustrador J. Carlos, publicados nas principais revistas brasileiras da época, retratando a mulher elegante e urbana que surgia com a modernidade do século XX.

ANOS 1930

MODELO DE REVOLUCIONÁRIA

Fevereiro de 1930.

O capitão vislumbrou centenas de barcos pesqueiros, refulgindo no azul profundo do mar, ao sol do meio-dia, acercando-se do navio ancorado ao largo da costa de Havana, no mar do Caribe. Viu pelo binóculo que os homens, as mulheres e as crianças que estavam neles agitavam flores de todas as cores nas mãos. Predominava a cor branca.

Logo percebeu que se tratava de inusitada homenagem aquática a uma ilustre prisioneira a bordo: a ítalo-americana **Tina Modotti**.

Operária têxtil, atriz de teatro popular e *femme fatale* do cinema mudo em Hollywood nos anos 1920, dedica-se à fotografia, na frente e atrás das câmeras, e ao ativismo político, quando

foi deportada do México para a Itália. Isso logo após o assassinato, em 1929, de seu companheiro, Julio Antonio Melle, secretário-geral do Partido Comunista Cubano, na Cidade do México, seguido de um atentado contra o presidente mexicano, Pascual Ortiz Rubio.

As polícias política, italiana e mexicana fizeram de tudo para envolver "a feroz e sanguinária" Modotti nos dois atentados. Fracassaram, mas conseguiram a deportação, a pedido de Benito Mussolini, líder italiano e um dos criadores do fascismo.

Na verdade, Melle foi assassinado por José Magriñat, agente do ditador cubano Gerardo Machado; e Rubio por um católico fanático, Daniel Luís Flores.

A resposta a essas acusações estava ali no mar, coalhado de flores lançadas pelos pescadores, abraçando o navio com seus barcos, sob os olhares extasiados dos passageiros na amurada.

O capitão mudou de imediato o *status* de Modotti, que passou de prisioneira a convidada, e decidiu que não a entregaria de forma alguma à sanha do *Duce*. Tomou o rumo da Europa, onde deixou a convidada em segurança na Alemanha — Adolf Hitler ainda não havia chegado ao poder. Mussolini ficou babando na mandíbula.

Uma paradinha para *recuerdos* dos frenéticos anos no México Rebelde.

Modotti aportou ali em 1921 com o fotógrafo Edward Weston, seu amante à época, com quem se aperfeiçoou na arte da fotografia, que praticava desde a infância. Pretendia montar um estúdio com seu marido, o poeta Roubaix, que já estava na Cidade do México. Ele morreu de varíola dois dias antes da chegada dela.

Modotti levou o projeto adiante.

Em 1922, expôs na Academia Nacional do México, onde abriu um estúdio com o fotógrafo Manuel Alvarez Bravo. Dali partiam para fotografar o país e sua gente. Virou mexicana de corpo e alma, fundou uma comunidade cultural e política de vanguarda, tornou-se importante documentarista e a fotógrafa número um das obras dos muralistas José Clemente Orozco e Diego Rivera — de quem foi modelo constante e com quem teve um romance. E, dizem, também com Frida Kahlo, mulher do pintor e importante artista. Sua retrospectiva na Biblioteca Nacional, em dezembro de 1929, foi retumbante.

Tina se filiou ao Partido Comunista dois anos antes, no embalo da ligação com Julio Antonio Mella e outros dois dirigentes, Xavier Guerrero e Vittorio Vidali, que também se ligariam romanticamente a ela.

Já na Alemanha, livre de Mussolini, com Hitler às vésperas de assaltar o poder, tornou-se informante de Moscou dos avanços nazistas. Não se sabe ao certo quando se mudou para a Rússia. Sabe-se que cursou a Escola Militar, a mesma da militante alemã Olga Benário. Esta, a mando da Internacional Comunista, veio em 1935 fazer a revolução no Brasil ao lado do marido Luís Carlos Prestes. Modotti foi lutar na Guerra Civil Espanhola ao lado do italiano Vitorio Vidali, comandante do 5º Regimento Internacional.

Em 1939, com a vitória dos franquistas, Modotti escapou com Vidali e voltou ao México com nome falso. Em 1942, teve um ataque do coração fulminante. Morreu de tanto viver.

Dizem que no México se morre três vezes. Na hora da morte, no enterro e no esquecimento. Tina Modotti e suas obras foram redescobertas em 1996 numa mostra bancada por Madonna no Museu de Arte da Filadélfia. Arriba!

Jornalistas como Eneida de Villas Boas Costa de Moraes (1904--1971), ou simplesmente *Eneida*, como ela preferia ser chamada (jornalista, escritora, militante política e pesquisadora brasileira), tal qual Pagu, sonhavam com a revolução proletária e participaram, em 1931, da Conferência Regional do Partido Comunista, no Rio.

Anita Malfatti (1889-1964), pintora, desenhista e professora, estava entre os monstros sagrados que deixaram os acadêmicos em polvorosa com o 39º Salão Nacional de Belas Artes, organizado por Lúcio Costa, em 1931. Muito antes, provocou um escândalo em São Paulo! Expôs, em 1917, pinturas inspiradas em cubistas e expressionistas. Mario de Andrade adorou. Monteiro Lobato não se impressionou. Pichou.

Nesse mesmo ano, a revista *Life* registrou, em capa, o sucesso da bailarina e *performer* brasileira Eros Volúsia (1914-2004), dançando "Tico-Tico no Fubá" com Zequinha de Abreu, em Nova York. Sucesso lá e cá.

Detalhe: Eros era filha da poetisa erótica Gilka Machado.

A poeta, jornalista e professora **Cecília Meireles** (1901-1964) assinou o Manifesto dos Pioneiros da Educação por uma educação pública, laica, obrigatória e gratuita. Como se vê, a batalha vem de longe.

A MÉDICA CARLOTA QUEIROZ (1892-1982), PRIMEIRA DEPUTADA ESTADUAL, PARTICIPOU DA CONSTITUINTE DE 1934 COMO REPRESENTANTE DE SÃO PAULO NAS ASAS DO CÓDIGO ELEITORAL, PROMULGADO EM 1932, QUE INSTITUIU O VOTO SECRETO, A JUSTIÇA ELEITORAL E O VOTO FEMININO.

O *Metropolitan Opera House* orgulhosamente apresentou Bidu Sayão (1902-1999), célebre intérprete lírica brasileira, considerada uma das maiores estrelas da ópera de todos os tempos, a convite de Toscanini, em 1934.

Gilda de Abreu (1904-1979) estrelou o filme *Bonequinha de seda*, de Oduvaldo Viana, em 1936.

Oh yes, nós temos **Carmen Miranda** (1909-1955), cantora e atriz portuguesa radicada no Brasil que gravou "No tabuleiro da baiana", de Ary Barroso, em 1935. Ao cantá-la no filme *Banana da terra*, rodado nos Estados Unidos em 1939, pôs Hollywood a seus pés.

Gilka Machado (1893-1980), poeta simbolista brasileira, foi uma das primeiras mulheres a escrever poesia erótica e a lutar por uma maior participação das mulheres na cultura brasileira. Poetisa ou poeta? Não se discutia isso na época. O certo é que a intelectual feminista poetou bonito em *Cristais Partidos*, publicado em 1915, aos 22 anos de idade: "Sinto pelos no vento.../ é a volúpia que passa". A convite de Jorge Amado e com o apoio de muitos intelectuais, Gilka poderia ter sido a primeira mulher a integrar a Academia Brasileira de Letras, logo após mudança do estatuto que proibia o ingresso de mulheres. Mas recusou o convite. Recebeu, contudo, da entidade, em 1979, o prêmio Machado de Assis, pela publicação do volume de suas Poesias Completas. Encerrou a carreira com o poema "Meu menino", escrito por ocasião da morte do filho Hélios, ocorrida em 1976.

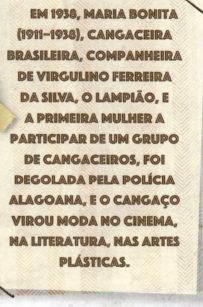

EM 1938, MARIA BONITA (1911-1938), CANGACEIRA BRASILEIRA, COMPANHEIRA DE VIRGULINO FERREIRA DA SILVA, O LAMPIÃO, E A PRIMEIRA MULHER A PARTICIPAR DE UM GRUPO DE CANGACEIROS, FOI DEGOLADA PELA POLÍCIA ALAGOANA, E O CANGAÇO VIROU MODA NO CINEMA, NA LITERATURA, NAS ARTES PLÁSTICAS.

Em 1937, Getúlio chama a pintora, desenhista, ilustradora, cartazista, cenógrafa e gravadora brasileira **Djanira** (Djanira da Motta e Silva, 1914-1979) para compor seu time dos sonhos na cultura, em que figuravam Carlos Drummond de Andrade, Mario de Andrade, Villa-Lobos, Portinari.

ANOS 1940

MUITO ALÉM DA REALIDADE

Duas tacadas para entender por que o mundo ficou melhor quando a pequena grande mulher Nise da Silveira nasceu em Alagoas (1905-1999):

> Na época em que ainda vivíamos os manicômios e o silenciamento da loucura, Nise da Silveira soube transformar o Hospital Engenho de Dentro em uma experiência de reconhecimento do engenho interior que é a loucura.

CHRISTIAN INGO LENZ DUNKER, psicanalista e professor titular do Instituto de Psicologia da USP

> Não se cura além da conta. Gente curada demais é gente chata. Todo o mundo tem um pouco de loucura. Vou lhes fazer um pedido: vivam a imaginação, pois ela é a nossa realidade mais profunda. Felizmente, eu nunca convivi com pessoas muito ajuizadas.

NISE DA SILVEIRA por NISE DA SILVEIRA

*(Quadro de Emygdio de Barros
Crédito: Reprodução/Museu de
Imagens do Inconsciente)*

Ao apresentar alguns trabalhos de seus hóspedes — expostos no Museu das Imagens do Inconsciente, por ela fundado oficialmente em 5 de maio de 1952, mas aberto ao público pela primeira vez no fim dos anos 1940, a renomada médica psiquiatra e psicanalista brasileira — aluna de Carl Jung, filha de um professor de matemática e uma pianista —, **Nise da Silveira** lembrou a visita de Pietro Maria Bardi, o diretor do Museu de Arte de São Paulo ao estúdio de pintura e escultura do Centro Psiquiátrico do Rio. Diz no texto extraído da revista *Cult* que ele atestou o valor das obras e comentou:

> "Talvez esta opinião de um conhecedor de arte deixe muita gente surpreendida e perturbada. É que os loucos são considerados comumente seres embrutecidos e absurdos. Custará admitir que indivíduos assim rotulados em hospícios sejam capazes de realizar alguma coisa comparável às criações de artistas legítimos — que se afirmem justo no domínio da arte, a mais alta atividade humana."

Mas, quem sabe, as parábolas do Museu das Imagens do Inconsciente, no bairro carioca do Engenho de Dentro, extraídas de uma edição especial sobre loucura, publicada em outubro de 1974 no jornal *EX* (um dos expoentes da chamada mídia alternativa durante a ditadura militar), ajudem até os mais incrédulos a entender em certa medida como a inesquecível **Nise da Silveira**, diretora da Terapia Ocupacional do Hospital Pedro II, mudou o sentimento do mundo em relação à loucura:

UM

E estava certa vez Carlos mergulhado em uma lata de lixo. A mestra Nise da Silveira aproxima-se, e pergunta: "Mas, Carlos, o que faz você aí? Você está sujando todas as suas mãos". Carlos não é de falar, mas naquele dia falou: "Sementes não foram feitas para serem plantadas em latas de lixo. Sementes foram feitas para a terra". Ergue-se, então, com as sementes que colhera na lata de lixo. E foi plantá-las no pátio do hospício.

DOIS

Estavam os pacientes trabalhando num campo de futebol, quando viram um cãozinho perdido. Começava a chover. O amor dos loucos leva o cãozinho para o teto. A doutora Nise observando. Então, a diretora concluiu que aqueles homens internados há tantos vinte anos eram sensíveis a esse amor. E começou a povoar o hospital com cães. Há muitos anos, os cães não são mais cães no Museu: a doutora Nise só os chama de coterapeutas.

TRÊS

A hora do café, às dez da manhã, é uma festa no Museu: os cães invadem a sala da direção e vão comer os biscoitos na sala da diretora.

QUATRO

E os pacientes passam pela porta, enfiam a cabeça e gritam para a doutora: "Como vai, queridinha?".

CINCO

Um dia, os cães da doutora Nise amanheceram mortos. Era a vingança dos inimigos do Museu. Onde se viu tratar cão como gente? Onde se viu chamar louco de hóspede?

SEIS

A primeira exposição dos hóspedes saiu em 1949. Um crítico carioca disse que a arte dos loucos não era arte. Outro disse que era. Os criadores nunca souberam de tal discussão.

SETE

O pessoal do Museu sempre esquecia a porta da sala principal aberta. Até que um dia encarregaram Carlos, internado há mil anos, "doente crônico, incurável" na voz da psiquiatria clássica, de zelar para que à noite a porta fosse fechada. Nunca mais a porta ficou aberta.

OITO

Um crítico herege disse que Emygdio, pintor do Hospício Pedro II, onde funciona o Museu, era o maior pintor do Brasil, maior que Portinari. O fantasma de Portinari, eu sei, bateu palmas de alegria; os seus camponeses de pés grandes também; as suas crianças de olhos fundos também — porque os loucos são crianças e são pobres como esses camponeses marrons das telas de Portinari.

NOVE

A doutora Nise salta para os dois lados da realidade e da irrealidade e entra na pele curtida pelo sol do sofrimento, pula para o lado de lá, salta para o lado de cá, também porque esteve no lado de cá do muro, no tempo do Estado Novo, na prisão em que esteve Graciliano Ramos, e assim pulou para dentro das palavras do escritor, e para dentro de seu coração, e para as palavras de *Memórias do Cárcere*.

Doutora Nise: operária da psiquiatria, rejeitando a tentação da clínica rica, escolhendo o mundo do múltiplo marginal hóspede do hospital do povo, e plantando com tijolos de imagens que outros colegas nem olham — ou consideram apenas psicopatia — uma compreensão que ainda está por vir, mas que virá.

Hoje, o Museu das Imagens do Inconsciente abriga 350 mil
obras de pacientes com transtornos mentais.

Marina Mikhailovna Raskova (1912-1943), das mais valentes mulheres aviadoras da União Soviética e uma das primeiras cidadãs a receber a Ordem de Herói da União Soviética. Foi ela quem criou a lendária unidade feminina de aviação apelidada pelos alemães de "Nachthexen" (Bruxas Noturnas). Uma das mais de 800 mil mulheres no serviço militar, fundou três regimentos aéreos femininos que chegariam a voar em mais de 30 mil missões na 2ª Guerra.

Novo Código Penal, de 1940, pune com pena de quatro anos quem realiza aborto nos outros, e com três quem o pratica em si mesma, a maioria em condições precárias, incentivando, assim, a matança e a esterilização em massa das mulheres. A barbárie continua.

O CHEFE DA POLÍCIA, PELO TELEFONE, MANDOU AVISAR que a Zona do Mangue não servirá mais de inspiração para poetas e pintores como Lasar Segall. Os marinheiros do mundo inteiro ficam a ver navios.

Em 1941, Darcy Vargas, mulher de Getúlio, celebra o quarto aniversário do Estado Novo com musical de arromba — *Joujoux e Balagandãs* —, patrocinado pelos cassinos, na figura de Joaquim Rolla, o Rei da Roleta. A carola Dona Santinha, mulher de Eurico Gaspar Dutra, que sucedeu Getúlio, mandou o marido proibir o jogo no país por conta do sucesso de Darcy. Pura *vendetta*.

"Aurora" (*Se você fosse sincera/ ooôô Aurora*), de Mario Lago, e "Helena" (*Eu ontem cheguei em casa,/ Helena*), de Antônio Almeida e Constantino Silva, são as músicas mais cantadas no Carnaval de 1941.

DONA LEOCÁDIA, A MÃE DE PRESTES, MORRE NO EXÍLIO EM 1943.

Pablo Neruda conta em *Confesso que vivi* que havia escrito seu primeiro poema quando Gabriela Mistral (pseudônimo de Lucila de María del Perpetuo Socorro Godoy Alcayaga, 1889-1957), poetisa, educadora, diplomata e feminista chilena, chegou a Temuco. A nova diretora do colégio de meninas era "uma senhora alta, com vestido muito comprido e sapatos de salto baixo". O aspirante a poeta lamenta: "Eu era jovem demais para ser seu amigo." Um dia, os dois gigantes da poesia mundial seriam premiados com o Nobel de Literatura: Gabriela Mistral em 1945 — ela abrindo porteiras como primeiro escritor latino-americano a receber tal honraria —, e Pablo Neruda em 1971.

Em 1943, o lançamento de *Perto do coração selvagem* define Clarice Lispector (1920-1977) como a mais universal das escritoras brasileiras. O gaúcho Erico Verissimo a ombreava com Guimarães Rosa: "Não ignoro que para tentar descrever o indescritível, transmitir aos leitores certos estados de espírito particulares — angústias, alucinações, sonhos, delírios e mesmo certos pensamentos e sentimentos sutis do cotidiano —, o escritor é obrigado a esquecer a sintaxe gramatical e recorrer à sintaxe psicológica". E arremata: "No Brasil, ninguém faz isso melhor que Clarice Lispector e Guimarães Rosa, na minha opinião duas figuras literárias de estatura internacional".

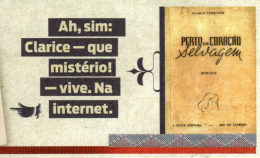

Ah, sim: Clarice — que mistério! — vive. Na internet.

Em 1948, a arquiteta modernista italiana Lina Bo Bardi cria uma delícia de cadeira caipira. Décadas depois, criaria as cadeiras do Sesc Pompeia, em São Paulo, que Telmo Martino chamava em sua coluna no *Jornal da Tarde* de "Bauhaus da inquisição", e concebe o Masp — Museu de Arte de São Paulo, com seu vão livre, em plena avenida Paulista, maravilha que boquiabriu o mundo.

EM 1949, EM SENSACIONAL DISPUTA COM EMILINHA BORBA (1923-2005), A CANTORA MARLENE (1922-2014) SE TORNA A NOVA RAINHA DO RÁDIO.

ANOS 1930

SAMBA-CANÇÃO DO AMOR DEMAIS

Dolores Duran (1930-1959) não emplacou os trinta anos. Noel Rosa não passou dos 26. Ambos deixaram obra inestimável. Agora, imagine a herança musical que teriam deixado com mais algumas décadas de Rio de Janeiro. Já pensou uma parceria deles? De repente — não mais que de repente —, Noel chegando com um samba-canção sobre o começo de um amor. Dolores pega um guardanapo, saca um lápis de sobrancelha e escreve ali mesmo, no escurinho da boate. A soma do talento de ambos certamente seria um sucesso instantâneo nas paradas de sucessos.

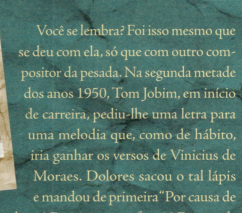

Você se lembra? Foi isso mesmo que se deu com ela, só que com outro compositor da pesada. Na segunda metade dos anos 1950, Tom Jobim, em início de carreira, pediu-lhe uma letra para uma melodia que, como de hábito, iria ganhar os versos de Vinicius de Moraes. Dolores sacou o tal lápis e mandou de primeira "Por causa de você" [*Ah, você está vendo só/ Do jeito que eu fiquei/ E que tudo ficou/ Uma tristeza tão grande/ Nas coisas mais simples/ Que você tocou...*], que ficou para a posteridade como parceria Tom-Duran. Vinicius reconheceu que não teria feito melhor e tirou seu time de campo naquela canção.

Essa é a lenda. Na verdade, àquela altura Dolores havia composto "Fim de caso", e deve ter matutado mil letras a cada desilusão amorosa. Na sequência vieram outros clássicos que a elevaram ao patamar da genialidade: "Estrada do sol", "Ideias erradas", "A noite do meu bem", "Castigo", "Olha o tempo passando".

Não se sabe se o pianista e compositor João Donato mereceu um samba-canção ao fim de um relacionamento fugaz com Dolores. O certo é que ele foi o menos problemático de seus casos. A família do então sanfoneiro de dezessete anos chegado de Xapuri, no Acre, não aceitou o romance do rapaz com a já consagrada cantora quatro anos mais velha. Em suas andanças pelo mundo, entre uma e outra cuia de tacacá no restaurante Carimbó, em São Paulo, o autor de "Bananeira" e "A paz", ambas em parceria com Gilberto Gil, fez um inventário das obras-primas que não fizeram juntos ele e **Dolores**.

Adileia Silva da Rocha. carioca do subúrbio de Piedade, filha de mãe solteira, nasceu com um halo de proteção que a fez se destacar desde menina. Aos doze anos de idade abiscoitou o primeiro prêmio no "Desfile de Calouros", de Ary Barroso, em pleno Radio Days, que lhe adubou fulgurante carreira. Ao mesmo tempo em que parou de estudar para ajudar no sustento da mãe e do padrasto.

Em pouco tempo, as rádios Cruzeiro do Sul e Tupi e as boates da Zona Sul ficaram muito pequenas para o desmesurado talento da intérprete festejada por gênios do quilate dela, como Billy Blanco, Antônio Maria e Fernando Lobo, que a badalavam em suas músicas, crônicas, artigos.

De certa forma, antecipava Elis Regina. Cantava nas mais diversas línguas sem dominar qualquer idioma. Ella Fitzgerald, de passagem pelo Rio, abençoou sua interpretação de "My Funny Valentine" na boate Baccarat.

O sucesso de "Fim de caso" lhe garantiu tutu suficiente para formar um grupo musical e com ele sair mundo afora. Circulou pelo Uruguai, Rússia, China e França. Estacionou uns bons meses em Paris, onde fez tudo o que se deve fazer com o dinheiro: torrá-lo.

Passar atestado de sofredora a **Dolores Duran** não cola. Fumava três maços de cigarros por dia. Gostava mesmo era daquela hora neutra em que se fuma um cigarro para uma nova sessão de amor. Amor, cigarro e birita eram alimentos do espírito para ela.

Acelerou no ritmo dissoluto das noitadas turbinadas por doses cavalares de álcool, consciente de que o sopro no coração que a pegara na infância a mataria precocemente. Pouco antes de morrer fez a letra de "O negócio é amar", na qual Carlinhos Lyra pôs a música. Ela viveu disso. Amar demais nos seus flamejantes 29 anos.

Tem gente que ama, que vive brigando
E depois que briga acaba voltando
Tem gente que canta porque está amando
Quem não tem amor leva a vida esperando
Uns amam pra frente, e nunca se esquecem
Mas são tão pouquinhos que nem aparecem
Tem uns que são fracos, que dão pra beber
Outros fazem samba e adoram sofrer
Tem apaixonado que faz serenata
Tem amor de raça, amor vira-lata
Amor com champagne, amor com cachaça ...

A estrela Dalva de Oliveira (1917-1972) é eleita a Rainha do Rádio em 1951. As ondas da Rádio Nacional cobrem o país inteiro com seus astros e estrelas canoros, além de instrumentistas do balacobaco. Elizete Cardoso abafa com "Barracão", de Luiz Antônio e Oldemar Magalhães. As radionovelas imperam.

A vedete Virgínia Lane (1920–2014) grava "Sassaricando", do compositor carioca Luiz Antônio, autor de outras maravilhas, como "Lata d'Água". Nas horas ociosas, sassaricava com Getúlio.

A ESCRITORA NORTE-AMERICANA ELIZABETH BISHOP (1911-1979) CHEGA AO PORTO DE SANTOS EM NOVEMBRO DE 1951, DEPOIS DE NAVEGAR PELA AMÉRICA DO SUL. PENSAVA FICAR DUAS SEMANAS. FICOU VINTE ANOS. SORTE DO BRASIL. SORTE DA URBANISTA LOTA DE MACEDO SOARES (1910–1967), UMA DAS RESPONSÁVEIS PELO PROJETO DO PARQUE DO FLAMENGO, O MAIOR ATERRO URBANO DO MUNDO, COM QUEM VIVEU NO RIO DE JANEIRO. *FLORES RARAS*, FILME DE BRUNO BARRETO, RETRATA O ROMANCE, COM BRILHANTE ATUAÇÃO DE GLORIA PIRES COMO LOTA. AQUI A OBRA DA POETA SE CONSOLIDA. ELA RETRIBUI EM POEMAS, CONTOS, CARTAS.

O país se toma de amores por **Vanja Orico** (1931-2015) cantando *Olê, mulher rendeira/ Olê, mulhé rendá/ Tu me ensina a fazer renda/ Que eu te ensino a namorá* em *O cangaceiro*, de Lima Barreto, premiado em Cannes em 1953.

Em 1953, Bibi Ferreira (1922) dirige *A raposa e as uvas*, adaptação para o teatro de Guilherme Figueiredo para a fábula de Esopo, escritor da Grécia Antiga, que seria a obra teatral mais representada em todo o mundo por décadas. Bibi continua dirigindo e se apresentando em espetáculos musicais.

Por duas polegadas a mais na medida de seu quadril passaram a baiana pra trás no concurso de Miss Universo, em 1954. **Martha Rocha** (1936), contudo, virou marchinha e virou a cabeça do país.

Em 1956, a televisão chega a 260 mil aparelhos em São Paulo, Rio e Belo Horizonte, mas o rádio ainda era o tal, com vozes como a de Ângela Maria (1929-2018), a Sapoti, que no ano seguinte cantaria com Louis Armstrong num *show* de tevê em São Paulo.

Em 4 de julho de 1959, **a tenista brasileira Maria Esther Bueno** (1939-2018) bate a norte-americana Darlene Hard, franca favorita, e conquista o torneio de Wimbledon.

"NUNCA HOUVE CAMPEÃ MAIS GRACIOSA",

disse um dia John Barret, comentarista da BBC que acompanha todos os torneios desde 1946.

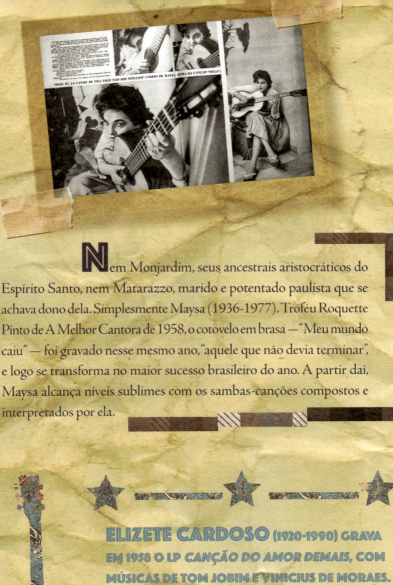

Nem Monjardim, seus ancestrais aristocráticos do Espírito Santo, nem Matarazzo, marido e potentado paulista que se achava dono dela. Simplesmente Maysa (1936-1977). Troféu Roquette Pinto de A Melhor Cantora de 1958, o cotovelo em brasa — "Meu mundo caiu" — foi gravado nesse mesmo ano, "aquele que não devia terminar", e logo se transforma no maior sucesso brasileiro do ano. A partir daí, Maysa alcança níveis sublimes com os sambas-canções compostos e interpretados por ela.

ELIZETE CARDOSO (1920-1990) GRAVA EM 1958 O LP *CANÇÃO DO AMOR DEMAIS*, COM MÚSICAS DE TOM JOBIM E VINICIUS DE MORAES. ARRANJOS NO VIOLÃO DE JOÃO GILBERTO. ERA O MARCO INAUGURAL DA BOSSA-NOVA, TERMO CRIADO PELO JORNALISTA SÉRGIO PORTO. OUTROS FORAM CHEGANDO: CARLOS LYRA, SÉRGIO RICARDO, ROBERTO MENESCAL, RONALDO BÔSCOLI. E A MUSA DA BOSSA: A CANTORA, COMPOSITORA E SAMBISTA BRASILEIRA NARA LEÃO (1942-1989).

ANOS 1960

À PROVA DE ESCÂNDALOS

1969 teve um concentrado de fatos marcantes. Um deles pouco conhecido. Janete Clair (1925-1983), autora de folhetins para a televisão, bem no clima do AI-5, barrou a volta de Leila Diniz (1945-1972) à Globo, para nunca mais, antes mesmo da entrevista da atriz ao *Pasquim*, com asteriscos no lugar dos palavrões; do decreto 1077, composto pela dupla Buzaid-Garrastazu, que ganharia o nome dela; e de sua versão da Lei do Ventre Livre, ao dispensar, numa praia carioca, a tradicional bata — uma burca de barrigão — que as mulheres usavam até então. Essa imagem foi imortalizada na foto de Joel Maia na Ilha de Paquetá, em 15 de agosto de 1971, para a revista *Cláudia*.

A ironia é que **Janete Clair** e o consorte dela, Dias Gomes, faziam parte de uma lista com mais de duzentos trabalhadores intelectuais que *O Globo* havia indicado em suas páginas ao Alto Comando Militar como candidatos ao paredão uma semana após o golpe de 1964.

A dramaturga argumentou que não havia papel para puta em *Véu de Noiva*, sob a direção de Daniel Filho, a primeira novela urbanoide da emissora, e fim de papo.

Quem nos refresca a memória é o jornalista e escritor Joaquim Ferreira dos Santos em *Leila Diniz — Uma revolução na praia*, a biografia definitiva da estrela. Joaquim também relembra ali que a entrevista pintou na areia de Ipanema. Tarso de Castro, o inventor de *O Pasquim*, levava um papo com o ator Paulo César Pereio. O tabloide estava bombando, mas o ator achava que precisava lançar gente nova. Tarso pediu um exemplo. Pereio apontou a moça que acabava de sair do calçadão e pisar na areia. Era Leila Diniz.

Nasceu em 1945. A professorinha de Niterói virou estrela de cinema, artista da TV, vedete do teatro rebolado, musa de Ipanema, e uma mulher à prova de escândalos. Morreu precocemente em 1972, num acidente aéreo em Nova Deli. Morreu?

Toda mulher quer ser amada
Toda mulher quer ser feliz
Toda mulher se faz de coitada
Toda mulher é meio Leila Diniz

Rita Lee (1947), outra artista musa e rebelde toda a vida na canção "Todas as Mulheres do Mundo", cantou e disse.

Valentina Vladimirovna Tereshkova (1937), primeira cosmonauta e primeira mulher a ir ao espaço, em 16 de junho de 1963, na nave Vostok VI, confirma:

❝ **A Terra é azul** ❞

Luz Del Fuego (1917-1967), dançarina, naturista, atriz, escritora e feminista brasileira imprópria até para maiores, foi perseguida e boicotada em todas as suas iniciativas, fossem artísticas ou políticas. Foi assassinada no início da década de 1960. Afundaram seu corpo dentro do seu próprio barco a 400 m de Paquetá, na Baía da Guanabara. Ou melhor, da Ilha do Sol, como ela rebatizou o pedaço de litoral onde, por meio de uma autorização da Marinha do Brasil, ela foi viver e onde fundou o Clube Naturalista Brasileiro, "contra a realidade social vestida e opressora".

O general Olímpio Mourão Filho, "vaca fardada" do golpe de 1964, era apatetado e inimigo número um de qualquer modernidade. Um de seus gritos de guerra era "Ninguém levantará a saia da mulher mineira"!, tirado do discurso de seu conterrâneo Lourival Pereira da Silva, deputado estadual que repelia o lançamento da minissaia no Rio de Janeiro.

NÃO É DE HOJE:

EM 1967, EDUCADORAS DO RIO E SÃO PAULO SOFREM A MAIS FEROZ PERSEGUIÇÃO POR DAREM ORIENTAÇÃO SOBRE A MATÉRIA SEXUAL A SEUS ALUNOS. MARIA NILDA MASCELANI, MARIA JOSÉ, TERESINHA FRAMME E HENRIETTE AMADO MERECEM UMA ESTÁTUA PARA NOS LEMBRAR QUE COMEÇOU TUDO OUTRA VEZ.

NÃO É DE HOJE 2:

NO MESMO ANO, A DEPUTADA FEDERAL LYGIA DOUTEL DE ANDRADE (1934) DENUNCIOU O PROJETO MIRABOLANTE DE FORMAÇÃO DE UM GRANDE LAGO NA AMAZÔNIA ELABORADO PELO INSTITUTO HUDSON, DE HERMAN KAHN, PARA O GOVERNO AMERICANO. O PLANO CONTAVA COM A ADESÃO TOTAL DE ROBERTO CAMPOS, TÃO ENTREGUISTA QUE LHE PESPEGARAM O APELIDO DE BOB FIELDS. DOIS ANOS DEPOIS, LYGIA FOI CASSADA PELO ATO INSTITUCIONAL NÚMERO CINCO.

João Goulart assume a presidência em 7 de setembro de 1961, após grave crise constitucional. Ao lado dele, a primeira-dama **Maria Thereza Goulart** (1940), que se casou com ele assim que completou quinze anos. O retrato de um Brasil bonito, no dizer do jornalista Nirlando Beirão.

Carmen da Silva (1919-1985), psicanalista, jornalista e escritora brasileira, uma das precursoras do feminismo no país, abriu a cabeça das leitoras da Editora Abril ao criar a revista *Cláudia*. E nela pôs questões polêmicas: virgindade, aborto, pílula, transa. *Cláudia* continua mais ou menos aí.

Maura Lopes Cançado (1929-1993), aos dezoito anos internou-se voluntariamente na Casa de Saúde Santa Maria, em Belo Horizonte. Diagnosticada com esquizofrenia, essa foi a primeira de muitas internações. Depois de colaborar com alguns jornais, em 1968 lançou *Hospício é Deus*, primeira parte do diário que relata o seu período de internação no Hospital do Engenho de Dentro. Um hospício que bem poderia ser chamado Brasil.

LÁ VEM VINDO ELIS REGINA (1945-1982): "ARRASTÃO", DE VINICIUS DE MORAES E EDU LOBO, NA VOZ DELA, VENCE O FESTIVAL DE 1965 DA TV EXCELSIOR. PRENÚNCIO DO FURACÃO QUE SE TORNOU NA SEQUÊNCIA DO ESPETÁCULO.

O *Correio da Manhã* foi abatido em consequência do maldito Ato Institucional Número 5, editado em 13 de dezembro de 1968. **Niomar Muniz Sodré** (1916-2003), sua presidente, encarnava a resistência à ditadura no jornalismo brasileiro. Foi encarcerada no começo de 1969 num presídio em Bangu, onde se recusou a vestir o uniforme de detenta: "Sou presa política". Em dois meses, fez greve de fome e escapou de ser morta por envenenamento. O cerco da repressão a obrigou a vender o jornal a um grupo de empreiteiros, que assumiu o compromisso de sanear suas finanças. Em vez disso, noutro episódio sórdido, foi leiloado em 1975, liquidando com mais de sete décadas de história. O *Correio da Manhã* e **Niomar Muniz Sodré** serão lembrados eternamente pelo combate empreendido contra a ultradireita que tomou conta do país.

HILDA HILST (1930–2004), poetisa, ficcionista, cronista e dramaturga brasileira, e considerada pela crítica especializada como uma das maiores escritoras em língua portuguesa do século XX, deixou-nos em Campinas a Casa do Sol, toda planejada por ela, hoje sede do Instituto Hilda Hilst, prova viva de que os seres superiores são um fato consumado: ela é um deles. Ali, a partir de 1966, consolidou obra que lhe valeu os maiores prêmios da literatura brasileira. Iniciou sua carreira em 1950 com *Presságio*, livro abençoado pelos poetas Jorge de Lima e Cecília Meireles. Viveu muitos amores e abrigou amigos do peito, artistas e escritores como Bruno Tolentino e Caio Fernando de Abreu. A fina flor da inteligência gravitava em torno da Casa do Sol. A bem dizer, Hilda Hilst era o Sol.

ANOS 1970

GUERRILHEIRAS DO ARAGUAIA

Abril de 1972, sudeste do Pará.

Explode a guerrilha do Araguaia. Chegam as Forças Armadas. Os guerrilheiros abandonam os acampamentos, embrenham-se na mata à margem esquerda do rio Araguaia. A soldadesca, mais perdida que Robinson Crusoé sem Sexta-Feira, papagaio e radinho de pilha numa ilha deserta, leva um vareio nessa fase. Uma resistência extraordinária que vai durar até 1974, quando os guerrilheiros foram massacrados de vez no Natal.

No centro da maloca cravada na mata, os índios da tribo Suruí narram os últimos lances da guerra numa tranquila e bela noite de novembro de 1976, iluminados por um lampião a querosene. "De primeiro morreu um bocado de soldado. Soldado foi tomar água, a Dina tava esperando lá: 'paaaaá!'"

A baiana **Mariadina da Conceição**, geóloga no Rio, sorriso radiante, mulher de personalidade tão forte que em São Geraldo, no sudeste do Pará, enquanto era professora, chamavam seu marido — também geólogo — de Antônio da Dina.

Na Terceira Campanha contra os revolucionários do Araguaia, as Forças Armadas chegaram com tropas treinadas para a luta na selva, sabendo usar melhor os guias da região, entre eles os índios suruí. Dos combates corriam histórias entre a população. Uma delas diz que Dina foi a mulher que mais se notabilizou no grupo, pela pontaria certeira.

"Esse cara (o narrador, Massu, aponta para o índio Arecachu) ajudou muito carregando morto dentro do *hericópere*. Cortava a cabeça e levava para o São Raimundo pra tirar retrato. Era homem, mulher, tudo misturado."

Calculam dezessete mulheres — universitárias de vários pontos do país com menos de trinta anos, a fina flor da inteligência brasileira — entre cerca de setenta combatentes. O papel delas nesse macabro episódio virou tema de peça — *Guerrilheiras ou Para a terra não há desaparecidos*, dirigida por **Georgette Fadel**, levada ao palco em São Paulo em 2014, cinquenta anos após o golpe. É baseada numa alentada pesquisa, inclusive na região do conflito, feita pela atriz **Gabriela Carneiro da Cunha**. Gabriela:

> "UMAS ERAM CASADAS, OUTRAS SE TORNARAM GUERRILHEIRAS PELO MOVIMENTO POLÍTICO. MAS TAMBÉM HAVIA AQUELAS QUE QUERIAM SAIR DAS CIDADES PORQUE ESTAVAM SENDO ASSASSINADAS OU PRESAS. AINDA ASSIM, TINHAM UM ENVOLVIMENTO POLÍTICO. MULHERES QUE TAMBÉM ATUAVAM COMO PARTEIRAS E PROFESSORAS NA FLORESTA."

Já vai longe a noite. Massu, de cócoras, resgata a última lembrança de Dina:

> **"A DINA FOI PEGADA EM MARABÁ: IA ATRAVESSAR PRO SÃO FÉLIX. MATARAM ELA."**

Austregésilo de Athayde, presidente da Academia Brasileira de Letras. O Clube do Bolinha, falava grosso com as mulheres e fino com a, ditadura. Em 1972, decretou em *O Estado de S.Paulo*: "Enquanto eu for vivo, mulher não entra na Academia. Mulher cria um ambiente perturbador. Elas são abespinhadas, suscetíveis. A Academia Brasileira de Letras passou os seus 75 anos apegada do voto de Machado de Assis. É bobeira botar mulher aqui dentro".

Cantava de galo aquela figura de filme de Drácula que nunca deu um pio sobre a truculência da Censura com o filme *Sacco e Vanzetti*, de Giuliano Montaldo, e a peça *Calabar*, de Ruy Guerra e Chico Buarque —, e bombardeou, em 1975, a candidatura do ex-presidente cassado Juscelino Kubitschek à cadeira número 1 — e assim, a ABL ganhou dos generais um sarcófago de trinta andares na avenida Presidente Wilson.

O cabra da peste pernambucano, que se achava dono do Petit Trianon, teve que enfiar a viola no saco sem Vanzetti cinco anos depois. No dia 4 de novembro de 1977, a escritora **Rachel de Queiroz** (1910-2003) quebrou o tabu e ocupou a cadeira número 5.

Hoje, as mulheres ocupam seis das quarenta cadeiras da ABL — Dinah Silveira de Queiroz, Lygia Fagundes Telles, Ana Maria Machado, Cleonice Berardinelli, Rosiska Darcy de Oliveira e Nélida Piñon, que chegou a presidi-la nos anos 1990. Após a morte do Conde Drácula, eterno presidente da entidade enquanto durou, em 1993, *of course*, Zélia Gattai (1916-2008) ocupou a cadeira número 6.

Em 14 de abril de 1976, a estilista Zuzu Angel (1921-1976) morreu em um acidente no túnel Dois Irmãos, que hoje leva o nome dela.

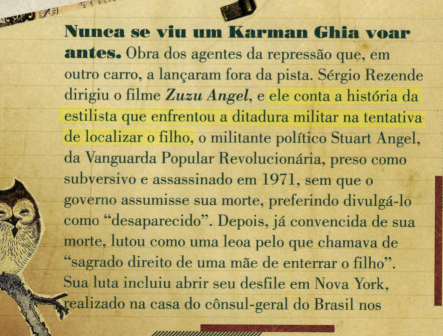

Nunca se viu um Karman Ghia voar antes. Obra dos agentes da repressão que, em outro carro, a lançaram fora da pista. Sérgio Rezende dirigiu o filme *Zuzu Angel*, e ele conta a história da estilista que enfrentou a ditadura militar na tentativa de localizar o filho, o militante político Stuart Angel, da Vanguarda Popular Revolucionária, preso como subversivo e assassinado em 1971, sem que o governo assumisse sua morte, preferindo divulgá-lo como "desaparecido". Depois, já convencida de sua morte, lutou como uma leoa pelo que chamava de "sagrado direito de uma mãe de enterrar o filho". Sua luta incluiu abrir seu desfile em Nova York, realizado na casa do cônsul-geral do Brasil nos

Estados Unidos, em setembro de 1971, com um vestido branco de algodão singelo, de modelagem ampla, estampado com imagens de tanques de guerra, soldados, canhões, quepes militares, anjos amordaçados, pombas negras e o sol quadrado, misturando-se a flores, casinha com chaminé e passarinhos. Esse foi o seu desfile-protesto, uma das bandeiras usadas por Zuzu para contar ao mundo os desmandos da ditadura brasileira e chamar a atenção para o desaparecimento de seu único filho homem. Só algum tempo depois ela teve certeza da morte de Stuart. O mundo tomou conhecimento da barbárie que reinava no país em alto estilo.

Assim, só matando.

Yes, nós temos divorciada!
Arethuza Figueiredo Silva (1939) foi a primeirona. A lei do divórcio foi sancionada em 26 de dezembro de 1977. No dia 29, Arethuza, aos 38 anos, divorciou-se, sob as lentes ávidas da imprensa. Era a mulher mais citada no noticiário então. Juíza de paz, desfez o casamento dela, celebrou mais de 20 mil casórios. Não cansa de dizer que o divórcio lhe fez bem. Para ela, a palavra "desquite" era nome feio, uma hipocrisia. Casou de novo. Valeu enquanto durou: dezesseis anos.

Lucélia Santos (1957) fez carreira internacional como a protagonista de *Escrava Isaura*, de Gilberto Braga, lançada pela TV Globo em 11 de outubro de 1976. Mignon, roubou a cena de Anita Ekberg — ex-miss Universo e *sex symbol* desde *La Dolce Vita* — em programa de entrevistas na tevê italiana. Além da Itália, na esteira da novela circulou na Rússia, Polônia e China, onde receberia em 1985 o Águia de Ouro, prêmio concedido pela primeira vez a um artista estrangeiro. Depois de *Sinhá Moça*, também na Globo, acelerou no impudico. No cinema, tornou-se a mais rodriguiana das estrelas brasileiras.

MÃE MENININHA DO GANTOIS
(MARIA ESCOLÁSTICA DA CONCEIÇÃO NAZARÉ, 1894-1986), IYÁLORIXÁ BRASILEIRA, FILHA DE OXUM, É HOMENAGEADA POR DORIVAL CAYMMI, FILHO DE SANTO, COM A CANÇÃO "ORAÇÃO DE MÃE MENININHA", COMPOSTA EM 1972, E GRAVADA POR GAL COSTA E MARIA BETHÂNIA.

A atriz, escritora, ativista política de esquerda, ex-modelo e guru de exercícios físicos norte-americana. **Jane Fonda** (1937), acompanhada de Tom Hayden — seu marido ativista político e senador — e Troy, o bebê deles de nove meses, desembarcou de novo em Hanói dia 1º de abril de 1974. Daquela vez para um documentário sobre a reconstrução do Vietnã após os acordos de paz que puseram fim à guerra com os Estados Unidos. E escreveu um diário pungente sobre o país que reencontrou: "O diretor da fábrica de bicicletas, orgulhoso, mostra a sua: inteirinha feita de bombardeiros americanos abatidos". A ativista **Jane Fonda** era um *show* à parte.

Katharine Graham

(1917-2001), publisher e CEO do jornal Washington Post, ampliou os limites da liberdade de expressão e mudou a história política dos EUA ao bancar, em 1971, a publicação dos documentos do Pentágono sobre a Guerra do Vietnã e a série de reportagens sobre o escândalo Watergate que culminaram com a renúncia do presidente Richard Nixon, em 1974. Herdeira e "dondoca", Kay virou o jogo, e é sempre lembrada como uma pessoa que teve a coragem de enfrentar o governo. Contudo, para chegar nesse patamar, ela também teve que passar por cima do machismo, lógico.

Na segunda metade de 1979, com o fim da ditadura, vivíamos tempos alegres com centenas de brasileiros exilados voltando ao nosso solo e falando. De repente, a militante Inês Etienne Romeu (1942-2015), a única que escapou da Casa da Morte em Petrópolis, apareceu no *Jornal Nacional* denunciando os horrores que ali passara. A seguir, o outro lado – um general furibundo – ameaçou fechar o tempo de novo por causa dela. O jornalista Ronan Soares, repentista do humor, mandou de primeira:

"Agora é tarde, Inês é viva!"

ANOS 1980

FERA FERIDA

A reportagem de Carlos Azevedo na revista *Doçura*, que foi para as bancas em novembro de 1980, começava assim:

Sim, minha senhora. Márcio Stancioli engenheiro é bom cozinheiro. Na noite em que matou sua mulher preparou um macarrão na manteiga. Comeu vendo TV, tomando vinho chileno, Concha y Toro. Como aperitivo havia bebido uísque escocês, Royal Salute. Para terminar, vodca russa, Russkaia. E fumou nove cigarros americanos, John Player Special.

À uma e 15 da madrugada, o silêncio era completo no bairro da Pampulha, o mais chique de Belo Horizonte. Apanhou no armário um Taurus, calibre 38, especial para tiro ao alvo. Abriu a porta do quarto de hóspedes, onde sua mulher se encontrava, porque haviam brigado. Dormia? Márcio diz que não, que estava deitada, reclamando do barulho da televisão.

O primeiro tiro atingiu o coração de empresária, dona da grife de roupas masculinas Toulon e pertencente à nobreza de Minas Eloísa Ballesteros (1948–1980). Dias depois Márcio disse ao delegado, no inquérito, que ela "resistiu como uma fera ferida" aos seus quatro balaços e que era 'seu amor verdadeiro! E que a estava perdendo!'. Eloísa não o amava mais. Então, se não era dele, não seria de mais ninguém.

Uma história familiar, não?

Essa edição da revista, vendida na rede Pão de Açúcar, não circulou em Minas Gerais. Seus donos eram amigos deste e de outros maridos assassinos mineiros. Dois meses depois *Doçura* acabou. Uma semana depois do crime, o delegado responsável pelo caso fez um comentário infeliz que atiçou as feministas: "Márcio poderia ter dado uns tapas na mulher, em vez de tiros". Estranhamente, o réu foi enquadrado por homicídio culposo (cometido sem intenção deliberada de matar), e não doloso (com intenção clara). O júri decidiu pela condenação por quatro votos a três. O juiz fixou a pena em dois anos, mas concedeu ao réu, por ser primário e ter bons antecedentes, suspensão condicional da pena. Durante a leitura da sentença, as mulheres gritavam "chega!", enquanto vários homens aplaudiam. Uma jurada rasgou sua carteira e disse que nunca mais voltaria ao tribunal.

A figura da "legítima defesa da honra" foi derrotada em dois casos rumorosos. O primeiro, o da socialite Ângela Diniz (1944-1976), "A Pantera de Minas", morta em dezembro de 1976 com quatro tiros de pistola dados pelo *playboy* Doca Street, seu companheiro à época, na praia dos Ossos, em Búzios — houve protestos em todo o país quando o advogado de defesa apelou para essa figura jurídica. O outro, o da cantora e compositora **Eliane de Gramont** (1955-1981), assassinada, aos 26 anos, com cinco tiros pelo ex-marido, o cantor Lindomar Castilho — de quem havia se desquitado havia vinte dias, quando se apresentava no Café *Belle Époque*, em São Paulo, em 30 de março de 1981. Um caso tipo de feminicídio que levou, após a missa de sétimo dia pela artista, mais de mil mulheres a percorrerem o centro de São Paulo, uma marcha expressiva em meio à ditadura militar para reivindicar o fim da violência machista contra a mulher.

Em 1980, a jornalista e ex-presa política Rose Nogueira (1946) dirige o programa TV Mulher, com um elenco de truz: Marília Gabriela, Henfil, Clodovil Hernandez, Ney Gonçalves Dias, Xênia Bier, a astróloga Zora Yonara, a produtora Malu Maia. Nele, a sexóloga **Marta Suplicy** vai ao Ponto G da questão na Globo. E sofreu muitos protestos por falar, em pleno dia, sobre orgasmo feminino e por repetir a palavra "vagina". Um dos grupos, claro, foi as Senhoras de Santana, que exigiu a retirada do ar do quadro da sexóloga.

Uma estrela nasce em 1982. *Cláudia*, que hoje assina Cláudya (1946), eletrizou a plateia cantando "Não chores por mim, Argentina" na peça *Evita*. Recordista de vendas, gravou mais de vinte discos. Gravou até em japonês. Vendeu mais de 200 mil na Terra do Sol Nascente.

LUIZA ERUNDINA (1934), hoje deputada federal, conquista a prefeitura de São Paulo em 15 de novembro de 1988. Derrota o malufismo, o quercismo e o janismo. Uma vitória surpreendente? Não para a Globo. A emissora encomendara uma pesquisa Ibope, concluída na véspera da votação, que já indicava a vitória da candidata petista, mas não a divulgara. Diz-se que a brutal repressão do governo Sarney à greve na Companhia Siderúrgica Nacional, que resultou na morte de três operários, provocou um "efeito Volta Redonda" em São Paulo. É, pode ser. Outros acham que o que prevaleceu mesmo na maior cidade do país foi espírito indômito da paraibana, militante das Ligas Camponesas durante a ditadura. Administração de alto nível. Para dar uma ideia: o secretário da Educação era Paulo Freire.

TRAJETÓRIA POLÍTICA

1982 Luiza Erundina é eleita vereadora, seu primeiro mandato político.

1986 Eleita Deputada Estadual Constituinte.

1988 Luiza Erundina torna-se a primeira mulher eleita para governar a maior cidade da América Latina.

1993 Luiza Erundina é convidada a assumir o Ministério da Administração Federal no Governo Itamar Franco.

1999 Eleição para o primeiro mandato de Deputada Federal por São Paulo pelo PSB.

2015 Dep. Luiz Erundina é eleita para a 3ª suplência da Mesa Diretora da Câmara.

Fonte > http://www.luizaerundina.com.br

A CAIAPÓ TUÍRA roubou a cena mundial ao encostar um facão no pescoço do então diretor da Eletronorte, Antônio Muniz Lopez, que depois se tornaria presidente da estatal. Com o gesto, desencadeou o 1º Encontro dos Povos Indígenas do Xingu, em fevereiro de 1989, em Altamira (PA), em protesto contra a construção da hidrelétrica de Kararaô (um grito de guerra da tribo), hoje Belo Monte. Com isso, Tuíra quis dar voz aos índios que alertavam para o impacto ambiental que a usina provocaria na região, e não estavam sendo ouvidos. A mídia nacional e internacional cobriu em peso o evento, marco no socioambientalismo brasileiro. O cantor Sting compareceu.

Era o começo de uma grande amizade do cantor inglês com o cacique Raoni. Pelo sim, pelo não, o Banco Mundial retirou o apoio ao projeto. E deu o que deu o descaso das autoridades: Mariana, o maior desastre ambiental brasileiro e um dos maiores do mundo, em novembro 2016, provocado pela usina de Belo Monte. Os índios avisaram!

Em 20 de maio de 2008, Tuíra repetiu o gesto com o engenheiro da Eletrobras Paulo Fernando Peixoto, que, depois, foi lançado ao chão e agredido pelos índios — outra cena que correu o mundo. Em novembro de 2009, lá estava Tuíra num dos dois ônibus que levaram trinta guerreiros caiapós, pintados para guerra, a Brasília, para protestar contra a ameaça que a construção da represa Belo Monte representaria para o rio Xingu. Assim como no encontro dos povos indígenas, ela carregava o facão.

Tuíra inspirou outras mulheres formidáveis que lutam pelos direitos indígenas e pelo desenvolvimento sustentável. Índias como Sônia Guajajara (1974), coordenadora executiva da Articulação dos Povos Indígenas do Brasil (Apib), e uma das principais lideranças nacionais e internacionais nessa luta que, para ela, já soma 27 anos. Graduada em letras e enfermagem, defensora de direitos humanos, Sônia ganhou a Ordem do Mérito Cultural, do Ministério da Cultura. Hoje, ela trabalha em Brasília, mobilizando e informando seu povo. E agora acaba de ser anunciada a chapa Guilherme Boulos-Sônia Guadalajara como os pré-candidatos do PSOL para as eleições de 2018.

A MESMA LUTA EM QUE SE EMPENHA JOENIA WAPICHANA (NASCIDA EM RORAIMA EM 1974), A PRIMEIRA BRASILEIRA DE ORIGEM INDÍGENA FORMADA EM DIREITO E A EXERCER A PROFISSÃO. ATUOU NA DEMARCAÇÃO DA RESERVA INDÍGENA RAPOSA SERRA DO SOL. FOI TAMBÉM A PRIMEIRA PRESIDENTE DA COMISSÃO DE DIREITOS DOS POVOS INDÍGENAS DA OAB, CRIADA EM 2013. RECEBEU EM 2004 O PRÊMIO REEBOK PELA SUA ATUAÇÃO NA DEFESA DOS DIREITOS HUMANOS, E EM 2010 FOI TAMBÉM CONDECORADA COM A ORDEM DO MÉRITO CULTURAL, DO MINISTÉRIO DA CULTURA.
PARA ELAS, TODO DIA É DIA DE ÍNDIA.

ANOS 1990

ALZIRINHA PÕE NAZISTA PRA CORRER

24 de agosto de 1954. Passa um pouco da meia-noite. Getúlio Vargas toma chimarrão, acompanhado de seu irmão Benjamim "Bejo" Vargas. Ouve a justificativa de seu ministro da Guerra, general Zenóbio da Costa, que pede para o presidente licenciar-se até que sejam apurados todos os envolvidos no Crime da Toneleros.

"A situação no Exército é de muita gravidade. Dos oitenta generais que tenho no Rio, 37 já assinaram manifesto pedindo a renúncia do presidente", diz o general.

Vargas recusa a forma da licença, manda convocar o ministério às duas horas da manhã. O Palácio do Catete com as janelas abertas, as salas iluminadas, é todo movimento. Automóveis entram pelos portões, e nas imediações, os populares aguardam o desenrolar dos acontecimentos.

"O círculo de fogo que ameaçava meu pai acabara de fechar. Só nos restava uma decisão, aquela que meu pai havia tomado: a resistência gloriosa, nem que fosse às custas de todos nós", disse aos jornais da época, anos mais tarde, **Alzira Vargas** (1914-1992), filha e secretária particular de Getúlio.

Não era frase de efeito. Quase duas décadas antes, no dia 10 de maio de 1938, acontece um golpe sangrento, o Putsch Integralista (ou Ação Integralista Brasileira — AIB). Uma horda de fascistas tenta tomar o Palácio Guanabara. A família Vargas passa a noite se defendendo pessoalmente, de armas na mão. Plínio Salgado, galinha verde-mor, o articulou. Agiu em sintonia com renomados "liberais": Julio de Mesquita Filho, Otávio Mangabeira e Flores da Cunha.

Além de secretária, **Alzirinha** era a confidente de Getúlio. Não houve pessoa mais chegada a ele. Nem a primeira-dama Darcy, nenhum dos outros quatro filhos, nem o irmão Bejo, tampouco Oswaldo Aranha, o formulador político dele desde a Revolução de 1930.

Depois do Putsch Integralista, Getúlio, Oswaldo Aranha e Alzirinha formaram o trio que se contrapôs à tríade nazista instalada no governo — o chefe de Polícia Felinto Müller, o ministro da Guerra, Eurico Gaspar Dutra, e o chefe do Estado Maior, Góis Monteiro — que levou o Brasil a lutar ao lado dos Aliados na 2ª Guerra. A mesma tríade que — já americanizada — o derrubou no dia 29 de outubro de 1945, bem no compasso do Departamento de Estado, justo quando Getúlio principiou sua guinada para a esquerda.

O governo Dutra foi o Estado Novo sem industrialização, sem Getúlio e sem as liberdades democráticas dos últimos meses. Enquanto isso, no seu exílio em São Borja, Getúlio Vargas matutava a engenharia que o levaria de novo ao centro do poder nos braços do povo. Dava suas impressões em copiosas cartas trocadas com Alzirinha. Missivistas compulsivos.

A conspiração contra ele teve início antes mesmo da posse e avolumou-se nos quatro anos de seu governo. Até que aconteceu o Crime da Toneleros, na madrugada de 5 de agosto de 1954 — tentativa de assassinato cometida contra o jornalista e político Carlos Lacerda, em frente à sua residência, do qual ele saiu apenas com um arranhão; mas morreu um policial: o cadáver estava ali; era escorraçar Getúlio e prestar contas ao patrão.

Às 6h30 daquela madrugada, a Aeronáutica solicitou ao ministro da Guerra que determinasse a apresentação de Bejo à base aérea do Galeão para depor no aparelho policial-militar que instalou na "República do Galeão", precursor do DOI-Codi. Ficou claro que Getúlio seria o próximo.

Alzirinha ouve o disparo e corre para o quarto do pai no terceiro andar do Palácio do Catete. Encontra-o de pijama ainda agonizante. O relógio pendurado na parede marca 8h30. Dessa vez, não precisou pegar em armas contra os adversários em pânico. O suicídio de Getúlio e a Carta Testamento fizeram isso por ela.

Em 1973, doou os arquivos de seu pai, que começara a organizar na década de 1930, ao Centro de Pesquisa e Documentação de História Contemporânea do Brasil (Cpdoc) da Fundação Getulio Vargas (FGV). Faleceu no Rio de Janeiro no dia 26 de janeiro de 1992. O arquivo de **Alzira Vargas do Amaral Peixoto** (nome de casada) encontra-se depositado no Cpdoc.

A ÍNDIA QUE DESCOBRIU A AMÉRICA

A índia guatemalteca **Rigoberta Menchú** (1959), veterana na luta pelos direitos humanos na América Latina, recebeu, em 1992, o Nobel da Paz, justo o ano de comemoração dos quinhentos anos da chegada de Cristóvão Colombo à América. Muito decorrente de seu ativismo, o ano seguinte, 1993 seria declarado como o Ano Internacional dos Povos Indígenas.

Rigoberta, envolvida nas lutas camponesas desde a mais remota juventude — começou a trabalhar aos cinco anos nas plantações de café —, só escapou da repressão porque em 1981 viveu escondida dentro da sua própria Guatemala, e de lá se refugiou no México, onde lançou, em 1982, a autobiografia *Me chamo Rigoberta Machú e assim nasceu minha consciência*, escrita por Elizabeth Burgos Debray, a partir de entrevistas — o que ajudou a torná-la conhecida. Rigoberta era um documento humano que atraiu a atenção internacional.

A partir dali se lançou em uma campanha internacional pelos direitos humanos, de conteúdo pacifista, em sua terra devastada. Tornou-se organizadora no estrangeiro da resistência contra a opressão na Guatemala e a luta para direitos humanos dos índios camponeses. Foi uma das fundadoras da frente de oposição comum ao governo guatemalteco. Tornou-se membro do Comitê Coordenador Nacional do CUC (1986), e no ano seguinte, narrou importante filme chamado *Quando as montanhas tremem*, sobre as lutas e sofrimentos dos descendentes maias. Em pelo menos três ocasiões, voltou à Guatemala para lutar pela causa dos camponeses índios, mas ameaças de morte a forçaram a voltar ao exílio. Conhecida como defensora da propriedade índia e reconciliação étnico-cultural, não só na Guatemala, mas em outros países latinos, seu trabalho tem sido reconhecido.

Nas comemorações de quinhentos anos da chegada de Cristóvão Colombo, foi proposta uma troca de palavras crucial: "descoberta" por "encontro". Afinal, dizer que a civilização europeia descobriu a civilização maia é algo como chamar berimbau de gaita e urubu de meu louro. Para os maias, já valia o escrito. Eduardo Galeano lembra em *As veias abertas da América Latina* que eles "foram grandes astrônomos, calcularam o tempo com precisão assombrosa e também o espaço, descobriram o valor da cifra zero (antes de qualquer povo da história)".

Os colonizadores fizeram com a civilização maia — que floresceu na Guatemala, Honduras, El Salvador e na região central do México — o que as ditaduras fizeram com a família de **Rigoberta** e a população indígena desses países. O pai, líder camponês, estava entre as 31 pessoas queimadas vivas pela polícia com fósforo branco na embaixada da Espanha em 1980; a mãe, parteira, sofreu as torturas mais atrozes; e a população indígena segue sendo dizimada em guerras civis crônicas.

Rigoberta disputou duas corridas presidenciais na Guatemala no século XXI. É embaixadora da Boa Vontade da Unesco, ganhou o Prêmio Príncipe Astúrias de Cooperação Internacional é membro do grupo Quiché Maia de Direitos Humanos. Tudo isso após o Prêmio Nobel da Paz. De quebra, botou areia nos planos do papa João Paulo II, que pretendia fazer de 1992 o ano da evangelização; e nos de Tio Sam, empenhado em usar Cristóvão Colombo como "a figura que globalizou o planeta ao dar com o Novo Mundo", quando, na realidade, ele apenas traçou o roteiro de massacres e escravidão de seus povos.

O próprio rei Juan Carlos, da Espanha — justamente o país que financiou a viagem do "descobridor" —, acabou adotando a palavra "encontro" em seus cartazes comemorativos.

Aos 59 anos, **Rigoberta** bem poderia dizer: "Descoberta por Colombo? Que audácia!".

Em almoço privado dia 12 de janeiro de 2010, o colunista político de *Veja*, Diogo Mainardi, prestou contas ao cônsul norte-americano no Rio de Janeiro do conteúdo de sua recente coluna na revista. Nela, sobre o nome de Marina Silva (1958) como vice na chapa de José Serra na corrida presidencial. Seria "a companheira de chapa dos sonhos" do tucano.

Serra expôs as vantagens: a história de Marina e as impecáveis credenciais de militante de esquerda contrabalançariam a atração que Lula exerce sobre os mais pobres, que apoiariam a indicada dele, Dilma. Em desvantagem na esquerda, Marina ajudaria Serra a superar o peso da associação com o governo FHC que Dilma apontaria.

Serra falou, e Diogo publicou como se fosse ideia sua, revelou o *site WikiLeaks*. A dupla ficou no sonho. A mais jovem senadora eleita do país (aos 36 anos, em 1994) e ex-ministra do Meio Ambiente do governo Luiz Inácio Lula da Silva saiu candidata pelo Partido Verde, teve uma votação espetacular em 3 de outubro (19,33%, batendo o tucano e Dilma no Distrito Federal – perdeu no Acre para Serra). Com mais de 22 milhões de votos, a boa performance a habilitou a fundar um novo partido, a Rede Sustentabilidade, para disputar a eleição seguinte.

A biografia de Marina Silva é um verdadeiro manual de sobrevivência na selva. Foi cinco vezes vítima da malária, contraiu hepatite, leishmaniose e, por fim, foi contaminada por mercúrio, chumbo e ferro. Em *Marina: A vida por uma causa*, a jornalista Marília de Camargo César conta como uma analfabeta (precisava trabalhar e aprendeu a ler apenas aos dezesseis anos) e ex-empregada escapou da sina inescapável da malária, que ceifou três de seus irmãos ainda pequenos, formou-se em história e se tornou uma das políticas mais importantes do país.

Não está na biografia, mas a senadora também venceu a morte com a inestimável ajuda do ex-deputado José Genoíno, do ex-tesoureiro do PT Delúbio Soares, do médico David Capistrano e do então presidente do Senado Antônio Carlos Magalhães, que atropelou todas as regras da Casa para que Marina Silva recebesse o tratamento adequado no exterior.

Sobrevivente dos pés à cabeça.

Marisa Monte (1967) mantém turnê nos Estados Unidos em 1996, apesar da censura feita por três das cinco distribuidoras norte-americanas de discos às ilustrações do CD *Barulhinho bom – Uma viagem musical*, com desenhos de Carlos Zéfiro na capa, por considerá-las pornográficas. A cantora argumentou que escolheu o voyeurismo nos traços do autor dos famosos "catecismos" das décadas de 1950 a 1970, "porque tem tudo a ver com a relação do público com o artista no palco".

Fernanda Montenegro (1929) foi a primeira latino-americana, a única brasileira e a única em atuação em língua portuguesa indicada ao Oscar de Melhor Atriz, em 1999, pelo longa *Central do Brasil*, que também concorreu a Melhor Filme Estrangeiro naquele ano. Em 2013, ela também recebeu o Emmy Internacional (considerado o Oscar da televisão) como melhor atriz estrangeira, por seu papel no especial de fim de ano da TV Globo, *Doce de Mãe*, em que interpretava dona Picucha. E ainda se dá ao luxo de ser mãe da atriz e escritora Fernanda Torres.

OK. GISELE BÜNDCHEN é a tal. Mas, antes, outra gaúcha: Shirley Mallmann (1977), descoberta em 1990, quando trabalhava como operária numa fábrica de sapatos em sua cidade, Santa Clara do Sul. Tornou-se a primeira *top model* brasileira, a preferida de Jean Paul Gaultier e imortalizada por ele, que se inspirou em sua silhueta para criar o primeiro perfume com a sua grife. Shirley estrelou o Calendário Pirelli e desfilou para Dolce & Gabbana, Valentino, Armani, Helmut Lang, Dior e Prada, entre outros, e vez por outra ainda é chamada para grandes campanhas de moda.

ANOS 2000

A PAZ INVADIU O CORAÇÃO DE ZILDA ARNS

O ano de 2010 começa com uma notícia trágica: um terremoto devastou o Haiti em 12 de janeiro. A tragédia envolveu a catarinense **Zilda Arns**, que começava a implantar naquele pequeno país caribenho a Pastoral da Criança, replicando o que havia feito no Brasil, na América Latina e na África. Sua morte também comoveu o mundo. Milhares de crianças foram salvas pela médica com ideias simples, eficazes e baratas, como o soro caseiro. **Zilda Arns** se dedicava àquela missão com a mesma determinação com que um dos seus treze irmãos, dom Paulo Evaristo Arns, enfrentava a ditadura implantada no país em 1964.

Perdemos no terremoto nossa candidata mais forte ao Nobel da Paz, na opinião de Frei Betto em *Brasil — Almanaque de cultura popular*, organizado por Elifas Andreato e João Rocha Rodrigues, que detalha a muralha de ignorantismo que **Zilda Arns** teve de derrubar: "Médicos olhavam com desconfiança para a solução caseira". Num país dominado pela Nestlé, "havia quem achasse mais eficaz distribuir leite em pó do que apostar na amamentação", disse Frei Betto à revista.

O *Almanaque* relata o périplo dela pelo país e pelo mundo. "Zilda viajou por todo o Norte e Nordeste a trabalho. Nunca esqueceu de um quarto onde passou a noite em Belém: 'Pererecas pulavam no meu ombro. No forro do telhado tinha mais de quinhentas pererecas amontoadas. Parecia um mosaico natural, lindíssimo.'"

Aos 71 anos, com tal visão das coisas, a descendente de alemães de extraordinária semelhança física com o irmão religioso, criada na base do amor, carinho e diálogo, se preparava para pôr em prática a Pastoral da Pessoa Idosa. Seus exemplos e suas ideias vigorosas estão aí e agora.

A ALAGOANA MARTA (MARTA VIEIRA DA SILVA, NASCIDA EM 1986) FOI ELEITA A MELHOR JOGADORA DO MUNDO POR CINCO ANOS CONSECUTIVOS (ENTRE 2006 E 2010), FEITO INÉDITO NO FUTEBOL BRASILEIRO. NEM PELÉ E RONALDO CHEGARAM A TANTO. ELA É TAMBÉM A MAIOR ARTILHEIRA DA SELEÇÃO BRASILEIRA (MASCULINA E FEMININA) E A MAIOR ARTILHEIRA DA COPA DO MUNDO DE FUTEBOL FEMININO.

Maria da Penha, a da Lei, depois de escapar de ser morta duas vezes pelo marido, lutou durante vinte anos para ver o agressor e o estado punidos. Um grito de alerta ao governo para a urgência de uma legislação que protegesse mulheres da violência doméstica. A lei que leva o nome dela vigora desde 2006.

Por seu importante papel na Guerra do Paraguai, em 2009, a baiana Anna Nery (Anna Justina Ferreira Nery, 1814-1880) foi a primeira mulher a entrar no Livro dos Heróis e das Heroínas da Pátria, todo feito de aço e depositado no Panteão da Liberdade e da Democracia, em Brasília. Um complemento ao decreto de Getúlio Vargas, de 1938, que instituiu o Dia do Enfermeiro, 12 de maio, em homenagem a Anna Nery em todos os hospitais e escolas de enfermagem do país. Getúlio apenas pegou carona nessa data comemorada internacionalmente por ser a do nascimento da britânica Florence Nightingale, uma pioneira da enfermagem moderna, que nasceu em 12 de maio de 1820. Outrora, o navio *Cisne Branco* foi assim batizado em homenagem a Anna Nery. Todo branco. Foi aposentado em 2010, depois de 47 anos singrando a costa brasileira.

Estela de Carlotto (1930), ativista argentina e líder das Avós da Praça de Maio, recebeu da ONU o Prêmio de Direitos Humanos em 10 de dezembro de 2003. Com sua luta, elas devolveram, às suas legítimas famílias, crianças sequestradas ou desaparecidas pela ditadura argentina (1975-1983). Em 12 de maio de 2008 foram indicadas ao Prêmio Nobel da Paz pela obra humanitária. Em agosto de 2014, incansável, Estela anunciou à imprensa ter encontrado Guido, filho de sua filha Laura Carlotto — presa em 26 de novembro de 1977 em Buenos Aires, grávida de dois meses e meio, e assassinada por seus algozes.

Atriz e professora Maria Alice Vergueiro (1935) foi sucesso em 2005 no YouTube, com o vídeo Tapa na Pantera, em que brincava com o hábito da maconha, acendendo o movimento pró liberação da cânabis.

Em 2009, Ausonia Favorido Donato, educadora e coordenadora pedagógica do Colégio Equipe, em São Paulo, ganhou o Prêmio Averroes, concebido pela Editora Oboré, a pedido do Hospital Premier, e dedicado a pessoas que têm como patrimônio a própria vida, por seu papel nas áreas da saúde e da educação.

Nada mais justo. Ausonia dedicou a vida à convivência com outras culturas e entre os contrários. Esse era o cerne do pensamento do muçulmano Averroes, filósofo, jurista e médico na região de Al-Andaluz nos anos de 1126 a 1198, que redescobriu e divulgou a obra dos filósofos gregos, principalmente Aristóteles.

Doutora em saúde pública pela USP, com duplo mestrado: educação em saúde pública e psicologia da educação, a obra de Ausonia permanece em nossos dias. Conhecido publicitário decidiu matricular o filho no Colégio Equipe — que completou cinquenta anos em 2018: "É pra ver se ele desencareta".

Essa fama de libertária do Equipe é antiga. Em 1970, a história do Brasil, do ponto de vista dos 350 anos de escravidão, era dada aos moradores de uma república nas cercanias do colégio e curso de pré-vestibular no bairro paulistano de Santa Cecília pelo historiador Joel Rufino dos Santos. Criador nos anos 1960 da História Nova, junto com Nelson Werneck Sodré, tentava escapar dos meganhas da ditadura. Ele integrava o time de professores do Equipe com o codinome Pedro Ivo, até ser preso.

Seria enfadonho listar as personalidades ensinando ou aprendendo no Equipe, ou tudo junto e misturado, que tiveram o embalo de Ausonia: Arnaldo Antunes, Serginho Groisman, Mônica Salmaso... A ideia que norteia esse centro de ensino é preencher a lacuna deixada pelo massacre que o golpe de 1964 impôs à escola pública. Uma reação que deu certo.

O colégio é que nem Minas. Está onde sempre esteve. No patamar da educação brasileira. Ausonia, como Averroes, está aí e agora para ampliar os nossos horizontes.

ANOS
2010

A PRIMEIRA PRESIDENTA

DOIS MOMENTOS EM QUE DILMA ROUSSEFF (1947), CANDIDATA À PRESIDÊNCIA, VIROU O JOGO ELEITORAL NA CAMPANHA DE 2010 E CHEGOU LÁ.

O primeiro, quando ela desembarcou do helicóptero no heliporto da Rede TV!, em Osasco, São Paulo, e as câmeras mostraram sua dificuldade para, de bota ortopédica, descer a escada que levava ao estúdio. Era o segundo debate do segundo turno, na noite de 17 de outubro de 2010, domingo.

Dilma usava o "adereço" havia 34 dias, desde que torcera o pé direito ao caminhar numa esteira no Hotel Tívoli, em que se hospedava na capital paulista. Achava que ia ficar uma semana assim. Ficou o resto da campanha. Tal como os terninhos feitos pela gaúcha Luísa Stadlander, sua amiga há vinte anos, o corte do cabeleireiro Celso Kamura, o rosto remoçado por pequena cirurgia que removeu rugas sob os olhos, a bota se torna parte de seu visual. Dos 118 dias de campanha, ela passou a fase mais intensa com aquilo no pé.

Mas a candidata tinha *know-how* de temporadas no inferno. Nem é preciso descer aos porões do centro de torturas DOI-Codi para descrever o seu segundo momento que acabou ajudando a virar o jogo presidencial naquela eleição. Em 5 de abril de 2010, na chefia da Casa Civil e pré-candidata, contou em coletiva, no hospital Sírio-Libanês, que estava se tratando contra um nódulo detectado na axila havia um mês. Noutras palavras, câncer linfático. Até que contasse em entrevista à Rádio Gaúcha, cinco meses depois, que estava curada, o país ficou em suspense.

Apesar dos prognósticos médicos tranquilizadores, chegou o tratamento mais agressivo, a quimioterapia, a perda dos cabelos, o uso de peruca. Quando o PT oficializou sua candidatura, em 13 de junho, Dilma já estava em forma. Mas os adversários de Lula, naturalmente, viam ali um possível xeque-mate no presidente, avalista da candidatura, aparentemente sem outra opção.

Dilma, animada com o desempenho no primeiro debate, na TV Bandeirantes, desfez o clima de baixo astral que se instalou em sua campanha quando a eleição foi para o segundo turno e entrou no estúdio da RedeTV! com trunfos suficientes para demolir seu adversário, José Serra. O mais desatento dos telespectadores podia notar que ele queria estar em qualquer lugar do mundo, menos ali.

O golpe definitivo nesse baixo astral chegou no dia seguinte, uma noite de segunda-feira, quando o Rio de Janeiro voltou a ser a capital cultural do Brasil. Milhares de pessoas, boa parte artistas e intelectuais, lotaram o teatro Casa Grande, no Leblon, em ato pró-Dilma, recebida aos gritos de "olê, olê, olê, olá! Dilma, Dilma!", relembrando o *jingle* pró-Lula. O arquiteto Oscar Niemeyer, aos 102 anos, foi ovacionado ao chegar em cadeira de rodas. Discursou o teólogo Leonardo Boff — cassado pelo Vaticano —, principal formulador da Teologia da Libertação, que empolgou a América Latina nas décadas de 1970-80 ao defender o engajamento de religiosos em movimentos sociais. Boff, que, junto com o sociólogo Emir Sader, organizou o evento Brasil Sem Ódio, emocionou: "Hoje cedo, pedi em minhas orações: 'Pai, me dê um sinal claro da vitória de Dilma. E o faça através da presença de Oscar Niemeyer. Se ele for ao encontro, é a confirmação de que venceremos!'".

Só pode ser, porque iriam se juntar no mesmo palco um cristão e um comunistão. Falou sobre a saúde do arquiteto, seu esforço para estar ali, sua força moral, sua respeitabilidade e a certeza de que Dilma venceria. A massa vibrou.

O discurso de Dilma, contando sua trajetória política, levou gente às lágrimas e aplausos a interromperam, "aplausos fanáticos" para *Veja*. A menção ao fato de Lula ter recebido o país com inflação elevada e de joelhos perante o Fundo Monetário Internacional? Receita, segundo *Veja*, para fazer sucesso entre militantes da esquerda. Dilma deu o recado principal sobre o ódio religioso que vinha sendo incitado pelos Grandes Irmãos:

"O país não destila ódio religioso. Todos os cultos podem se encontrar na mesma escola e conviver. Tentar destilar o ódio religioso ou qualquer preconceito não é característica de um país laico. Não queremos o estado apropriado por nenhuma crença, nenhuma religião. Pregamos a existência de um estado que não pode interferir na vida privada das pessoas".

Isso a revista não comentou, claro. Dilma se libertava nesse momento da pauta medieval, à qual havia sido obrigada a se render. *Veja OnLine* não conseguiu esconder, escreveu:

"Além do manifesto pró-Dilma, que defende a continuidade do governo Lula e as práticas sociais, foi entregue à candidata um documento organizado por advogados e outro com 694 assinaturas de diversos fiéis que votarão nela. Uma das passagens deste texto diz: 'não aceitamos que se use da fé para recriminar alguma candidatura.'"

As imagens que circulam na internet mostram delírio no teatro. Vemos Chico Buarque, alma da festa, em meio a um chão de estrelas — Margareth Menezes, Beth Carvalho, Fernando Morais, Alceu Valença, Renato Borghetti, o *rapper* brasiliense Gog, entre outros. O maior cientista brasileiro vivo, Miguel Nicolelis, um dos vinte mais importantes do mundo segundo a revista *Scientific America*, desculpou-se por não comparecer, estava fora do país, ele, forte candidato a nos dar o primeiro Prêmio Nobel.

Chico Buarque disse: "Vim reiterar meu apoio a esta mulher, que já passou por tudo, e não tem medo de nada. Vai herdar um governo que não corteja os poderosos de sempre. O Brasil que é ouvido em toda parte porque fala de igual para igual com todos. Não fala fino com Washington, nem fala grosso com Bolívia e Paraguai."

A reunião repôs o bloco na rua. Então, a menos de

72 horas da eleição, na quinta-feira 28 de outubro, o papa Bento XVI disparou um míssil endereçado à candidatura Dilma. Era o "Santo Padre", o homem que fala direto com Deus, o líder espiritual de um em cada seis seres humanos, aquele que, para todos os católicos, falou está falado — o Infalível.

O papa recebeu um grupo de bispos do Maranhão e aproveitou a deixa para dar uma mão à candidatura Serra. Condenando o aborto, recomendou aos bispos brasileiros que "orientassem" seus fiéis. Questionados, os bispos do Maranhão disseram que o encontro estava agendado havia meses. Explicação mais marota que Judas Iscariotes.

A notícia explodiu nos portais da mídia grande e nas manchetes do outro dia, dando um susto no eleitorado dilmista. Mas parece que a esmagadora maioria dos eleitores estava "por aqui" com a história de aborto no almoço, no jantar, no café da manhã, na merenda escolar. O míssil papal deu chabu. E a bala de prata reservada por um dos Grandes Irmãos, a *Folha*, também.

Não foi fácil para a mídia mastigar, engolir e digerir tudo para expelir, na noite de domingo 31 de outubro, as manchetes de seus jornais para o dia seguinte. O presidente do Tribunal Superior Eleitoral, Ricardo Lewandowski, proclamou a vitória de Dilma oficialmente às oito e dez da noite.

A liberiana Leymah Gbowee (1972) ganha o Prêmio Nobel da Paz de 2011 por seu papel como fundadora de um movimento pacífico que colaborou com o fim da segunda guerra civil em seu país, em 2003. Durante a premiação, o Comitê Nobel afirmou que a militância de Leymah ajudou Ellen Johnson Sirleaf, também laureada, a chegar à presidência do país, democraticamente, em 2006.

Em 1999, Leymah convocou as mulheres a rezar pela paz, todos os dias, ao meio-dia, na estrada onde o general Charles Taylor passava diariamente a caminho do palácio. "Nada deveria levar as pessoas a fazer o que fizeram com as crianças da Libéria, drogadas, armadas, convertidas em máquinas de morte", explicou no documentário *Pray the Devil back to Hell* (literalmente, Reze para o Diabo voltar ao inferno), sobre a luta das liberianas pela paz.

O movimento foi crescendo até que, em 2002, ela liderou uma "greve de sexo", levando as liberianas além das linhas de divisão étnica e religiosa a negar sexo aos homens até que cessassem os combates, o que obrigou Charles Taylor, ex-chefe de guerra convertido em presidente, a associá-las às negociações de paz.

Sua poderosa luta gandhiana está retratada no documentário brasileiro *Mulheres africanas – A rede invisível*, que destaca outras quatro lideranças femininas do continente: Graça Machel (1945), política e ativista dos direitos humanos moçambicana, foi a primeira-dama de Moçambique, desde 1976, quando se casou com Samora Machel, o primeiro presidente de Moçambique, morto em 1986. Em 1998, casou-se com Nelson Mandela, o primeiro presidente negro da África do Sul. Foi a única no mundo a ser primeira-dama de mais de uma nação; Luísa Diogo (1958), Ministra do Plano e Finanças de Moçambique entre 1999 e 2005, atuou junto ao Banco Mundial na reconstrução de seu país; Nadine Gordimer (1923-2014), ativista contra o *apartheid* da África do Sul, autora de mais de trinta livros, na sua maioria crônicas sobre a deterioração social que afetou a África do Sul durante esse regime, e ganhadora do Nobel de Literatura de 1991 na África do Sul; e Sara Masasi, líder empresarial muçulmana da Tanzânia e tratada carinhosamente como "Mama Sara", ela atua também na educação, e propõe como tema fundamental a importância da mulher para o desenvolvimento do país.

A visão eurocêntrica do mundo distorceu a visão da história africana. Grandes civilizações e grandes personagens floresceram ali. A série *Mulheres na história da África*, lançada em 2018 pela Unesco, acaba de resgatar uma delas: Njinga A Mbande, rainha do Ndongo e do Matamba (1581-1663), que marcou a história de Angola do século XVII. Os projetos mercantis europeus, em particular de desenvolvimento do tráfico de escravos na costa da África austral, alteraram o cenário social e cultural do reino do Ndongo e de toda a região. Foi nesse contexto que Njinga cresceu e se impôs como um notável exemplo de governo feminino. Uma estadista que não deu trégua aos supostos "descobridores", "conquistadores" e "civilizadores".

Amy Winehouse (1983-2011), com sua voz ora rascante, ora de veludo, morreu aos 28 anos, em Londres. Um "anjo", segundo Tony Benett — que fez dueto com ela em documentário —, teve carreira meteórica e turbulenta, mas talentosa o suficiente para que ela se tornasse um símbolo dos anos 2000 e da música *soul*.

Clara Charf (1925), militante comunista e feminista, comemorou a anistia de Carlos Marighella em 2012, 43 anos após o assassinato do companheiro, inimigo número 1 da ditadura, numa emboscada armada pelo torturador Sérgio Paranhos Fleury, na alameda Casa Branca, São Paulo. Parafraseando Jorge Benjor:

FOI A MAIS LINDA HISTÓRIA DE AMOR, ÔÔÔÔ, QUE EU JÁ OUVI CONTAR.

A ocupação das escolas estaduais do Paraná revela, em outubro de 2016, a estudante Ana Júlia Ribeiro (2000) a partir de um depoimento emocionante na Assembleia Legislativa do Estado em defesa do movimento. Aos dezesseis anos, não se intimidou diante dos carcomidos deputados que a pressionavam. O depoimento viralizou na internet. Pouco depois, dava seu recado no Congresso. Nascia uma líder estudantil. Agora Ana Júlia são duas. Ela e a da música.

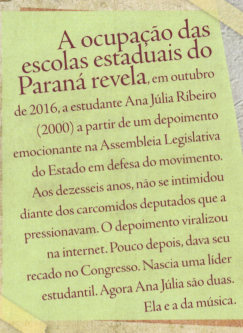

MAJOR NADEZHDA VASIL'YEVNA "NADIA" POPOVA (1921), FILHA DE FERROVIÁRIOS, HEROÍNA DA RÚSSIA, MORREU AOS 91 ANOS EM 2013. SÓ ELA TOTALIZOU 852 MISSÕES DE BOMBARDEIO NOTURNO CONTRA A ALEMANHA NAZISTA. AS MULHERES DOS TRÊS REGIMENTOS FEMININOS ATACAVAM EM TRIO, COM OS MOTORES DOS AVIÕES DESLIGADOS, VOANDO BAIXO, COM DUAS SERVINDO DE ISCA PARA OS HOLOFOTES DE BUSCA DOS ALEMÃES, ENQUANTO A TERCEIRA SOLTAVA AS BOMBAS. NÃO HAVIA PARAQUEDAS. OS INIMIGOS AS CHAMAVAM DE BRUXAS DA NOITE.

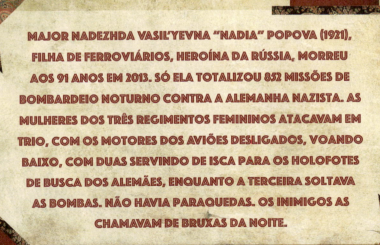

A fotógrafa Elvira Alegre (1956) tem o sobrenome que merece. Fotojornalista desde 1975, em outubro de 2016, ganhou prêmio especial no 39º Prêmio Jornalístico Vladimir Herzog de Direitos Humanos, em cerimônia no Tucarena, em São Paulo, pela cobertura exclusiva do velório e enterro de Vlado para o tabloide alternativo EX-. Quando o medo virou pânico, Elvira saiu com sua câmera fazendo o que ninguém ousava fazer: documentando tudo. Algo inacreditável em nossos dias em que tudo se registra. Passou também pelas TVs Bandeirantes, Record e Globo, onde trabalhou com Fernando Pacheco Jordão no programa Globo Repórter.

2018. BICENTENÁRIO DO NASCIMENTO DE KARL MARX, HORROR DOS BURGUESES E UMA ESPÉCIE DE DEUS COM PÉS NO CHÃO PARA SEUS MILHÕES DE SEGUIDORES. A FILHA PREFERIDA DELE ERA A ATIVISTA ELEANOR MARX (1855-1898), QUE BATALHOU COMO NINGUÉM PARA MARCAR O PRIMEIRO DE MAIO COMO DIA DO TRABALHO. A FESTA COMEÇOU EM 1891, EM LONDRES.

A americana Naomi Parker Fraley (1921-2018), que inspirou a personagem Rosie the Riveter (Rosie, a rebitadeira), morreu em Longview (Washington) aos 96 anos. Rosie virou ícone das trabalhadoras durante a 2ª Guerra Mundial por estampar o famoso cartaz com os dizeres "We Can Do It!", de J. Howard Miller. Hoje, é considerada ícone do empoderamento feminino. Fraley nasceu em Tulsa (Oklahoma). Depois do ataque japonês a Pearl Harbor, passou a trabalhar em Alameda (Califórnia), entre as pioneiras da guerra.

A atriz, *drag queen*, cantora, compositora e **ativista transexual brasileira de funk carioca Linn da Quebrada** (1990) pôs boa parte do Brasil a falar dela em 2017, e no ano seguinte, iniciou turnê pela Europa para apresentar *Pajubá*, seu primeiro álbum. Longa vida para a "Bixa Travesty".

As atletas brasileiras conquistaram sua 22ª medalha de ouro olímpica nos jogos disputados no Rio de Janeiro em 2016. A primeira foi no vôlei de praia, com a dupla Jacqueline Silva (1962) e Sandra Pires (1973), na Olimpíada de Atlanta, em 1996 — as primeiras mulheres brasileiras a conquistarem uma medalha de ouro olímpica em cem anos de história dos jogos olímpicos.

A professora, socióloga e ativista americana Angela Davis (1944), famosa mundialmente como integrante do Partido Comunista dos Estados Unidos, dos Panteras Negras, ícone da luta pelos direitos civis e das mulheres dos EUA, fez que sua sexta visita ao Brasil, em 2017, coincidisse com o Dia Internacional da Mulher Negra Latino-Americana e Caribenha — 25 de julho. Ganhou de vez a plateia no auditório lotado da Universidade Federal da Bahia quando disse: "As pessoas me perguntam: 'Você já esteve no Rio?' Não. 'Você já esteve em São Paulo?' Não. Mas estive em Salvador várias vezes". Emociona todo o mundo ao lembrar figuras emblemáticas da cidade mais negra do Brasil como Carolina Maria de Jesus (1914-1977), autora de *Quarto de despejo, diário de uma moradora de favela*, de São Paulo, nos anos 1960 — e revelada ao mundo por Audálio Dantas, o magnífico repórter: "Nos faz lembrar que a fome deveria nos fazer refletir sobre as crianças e o futuro". Em Estocolmo, Angela figura numa escultura ao lado do poeta Pablo Neruda, do revolucionário chinês Mao Tsé-Tung, do educador Paulo Freire e de outras figuras de renome universal na luta contra a opressão.

A hashtag #CoisaDePreto ganhou o planeta quando o ex-apresentador do Jornal da Globo, William Waack, afivelou sua máscara mortuária e mandou aquele "Isso é coisa de preto" em Washington, na cobertura da eleição americana. A hashtag vinha acompanhada de nomes de negros que engrandecem a humanidade. Gente como Elza Soares, eleita Voz do Milênio pela Rádio BBC; Enedina Alves Marques, a primeira mulher a se formar em engenharia no Brasil, pela UFPR, e a primeira negra em atuar nessa profissão; Viola Davis, a primeira negra a ganhar um Oscar, um Emmy e um Tony; a catarinense Antonieta de Barros, jornalista política brasileira, pioneira no combate à discriminação dos negros e das mulheres, primeira deputada estadual negra do país; Mae Jemison, primeira negra a ir ao espaço; Patrícia Bath, inventora de método de tratamento a laser menos doloroso para catarata, e primeira negra residente em oftalmologia na Universidade de Nova York; Valerie L. Thomas, cientista e analista de dados da Nasa, que inventou o transmissor de ilusão 3D, e está entre os inventores negros mais proeminentes do século XX.

Waack acha todas essas conquistas uma afronta.

Em janeiro de 2017, a posse de Donald Trump da presidência dos Estados Unidos foi um insulto à civilização. Milhões de mulheres, especialmente insultadas por ele durante a campanha, devolveram-lhe os insultos com a mesma consideração em todo o mundo, numa espécie de contraposse. A cantora, compositora, atriz, dançarina, produtora musical e pop star norte-americana Madonna (1958), insultada diretamente por Trump ("Vá chupar um pau!"), foi uma das porta-vozes da marcha das mulheres em Washington. Ao subir ao palco, a cantora lançou cinco pontos principais sobre o terror que ele representa — minorias em perigo, início da luta por liberdade e igualdade, o poder da unidade, a resposta aos críticos e o amor como resposta ao desespero —, antes de cantar "Express Yourself" e "Human Nature". Lacrou em dimensão galáctica.

Marielle Franco
(1979-2018)

SÍMBOLO MUNDIAL

Após seis dias de choque, revolta, perplexidade, desalento e comoção com a execução da vereadora do PSOL carioca e combatente social **Marielle Franco**, de 38 anos, três notícias levantaram o ânimo dos brasileiros na terça-feira, 20 de março de 2018, bem na chegada do outono, mês das mulheres e dos cinquenta anos da morte pela PM do estudante Edson Luis no restaurante Calabouço, no Rio de Janeiro em 1968.

> O diário norte-americano Washington Post, o mesmo que divulgou os papéis do Pentágono sobre o Vietnã e a série de reportagens do escândalo Watergate, que resultaram na queda do presidente Richard Nixon, saiu com a foto de Marielle estampada no alto da capa.

O diário, após constatar o impacto do atentado, que provocou uma onda de manifestações comoventes ao redor do mundo, decidiu que **Marielle** é um símbolo global na luta contra a violência e a discriminação racial. Para o jornal, nossa propalada "democracia racial" não passa de um mito. O que vigora no Brasil é mesmo um genocídio praticado contra a população negra.

Outra notícia alentadora daquela terça-feira:

> A instituição do Dia Municipal de Luta Contra o Encarceramento da Juventude Negra, idealizado por Marielle e quatro outros vereadores do PSOL, também entrava na Ordem do Dia da Câmara Municipal do Rio para ser votado em primeira discussão.
>
> A bancada levantou números dramáticos para demonstrar a "seletividade" da Justiça: 58% da população carcerária têm até 29 anos e 72% são negros; jovens negros e brancos detidos com a mesma quantidade de drogas, mas apenas negros condenados como traficantes; de cada dez presos, sete são negros. Enfim, o que se sabe: os presídios são máquinas de moer gente e usinas de criminosos.
>
> Também naquela terça-feira, em Genebra (Suíça), os representantes diplomáticos de todas as nações com assento na 37ª Seção do Conselho de Direitos Humanos da ONU, tomaram conhecimento das denúncias relacionadas à execução, após reação instantânea do Parlamento Europeu ao atentado, associado com clareza ao golpe de 2016 e à intervenção do Exército no Rio, contra os quais Marielle se insurgiu.
>
> Era véspera de uma semana da execução. Milhares de pessoas saíram às ruas de todo o Brasil, protestando principalmente contra o rumo das investigações conduzidas pela Polícia Civil, sob a tutela do Exército, que até aquele momento não apontava qualquer suspeito, embora alguns fossem evidentes, e uma tentativa desesperada da Rede Globo de capturar os movimentos de rua, como fez em junho de 2013.

> **PRECISAMOS GRITAR PARA QUE TODOS SAIBAM O ESTÁ ACONTECENDO EM ACARI NESTE MOMENTO. O 41º BATALHÃO DA POLÍCIA MILITAR DO RIO DE JANEIRO ESTÁ ATERRORIZANDO E VIOLENTANDO MORADORES DE ACARI. NESTA SEMANA, DOIS JOVENS FORAM MORTOS E JOGADOS EM UM VALÃO. HOJE, A POLÍCIA ANDOU PELAS RUAS AMEAÇANDO OS MORADORES. ACONTECE DESDE SEMPRE, E COM A INTERVENÇÃO FICOU AINDA PIOR.**

Marielle Franco postou essa mensagem no Facebook quatro dias antes de sua morte, a 14 de março de 2018, no Estácio, às 9h45 da noite, no banco de trás de um carro, atingida na cabeça por quatro tiros de uma pistola 9 mm disparados por duas pessoas do interior de um carro que a seguia desde a Lapa, onde havia participado de um evento chamado "Jovens negras movendo as estruturas", num casarão em que se instalou a entidade Mulheres Pretas — três dos treze tiros mataram o motorista Anderson Gomes, que dirigia o Uber em que ia a vereadora; sua assessora, ao lado dela no veículo, sobreviveu ilesa.

A comunidade de Acari, citada por **Marielle** na postagem, fica na zona norte carioca; e o 41º BPM, segundo levantamento do Instituto de Segurança Pública do Rio de Janeiro, é a unidade que mais mata no estado — 567 casos de janeiro de 2010 a janeiro de 2018; em janeiro de 2018, 41% das mortes violentas tiveram como autores policiais da unidade, que domina a região. Por isso, é conhecido como Batalhão da Morte, como a SS nazista, cujos integrantes usavam uma caveira no quepe.

Ninguém precisa ser um Sherlock Holmes, Hercule Poirot, Inspetor Maigret, Columbo ou Cannon para deduzir que o Batalhão da Morte deveria estar incluído entre os suspeitos. Mas nenhum membro da corporação havia sido convocado até aquele momento para depor no inquérito, com o Rio havia quase vinte dias sob intervenção militar, contra a qual a vereadora se opunha de maneira frontal — **Marielle** era relatora da Comissão da Intervenção na Câmara. Daí que a palavra de ordem nas manifestações de terça-feira era:

— QUEM MATOU MARIELLE?

O escravismo não admite combatentes sociais que provenham da favela. Ainda mais dotados de alto preparo e o carisma de **Marielle Franco** — uma força da natureza em quem a senadora Benedita da Silva, que se projetou politicamente na favela Chapéu Mangueira, antevia na vereadora em primeiro mandato, eleita com 46,5 mil votos, a quinta maior votação para vereadora nas eleições de 2016, potencial para chegar à Câmara Federal, ao Senado e à presidência da República.

> **Marielle era negra, pobre, favelada**. Neta de um retirante da Paraíba, gostava de se dizer cria da Maré. Foi ali, no bairro com a segunda maior taxa de analfabetismo do Rio, que ela começou a lutar para não virar estatística.

O jornalista Bernardo Mello Franco retrata assim a socióloga na sua coluna em *O Globo*. Um perfil de gente que cativa o papa Francisco. E eis que, mesmo sem um pio da Igreja Católica do Brasil, quando se completava uma semana da execução, ele liga para a mãe dela, dona Marinete, após receber uma carta da filha de **Marielle**. Frei Betto cobrou esse posicionamento em artigo.

Lembra que a única nota de protesto da instituição ao assassinato e à violência havia sido iniciativa do Regional Leste 1 da CNBB. Mesmo assim, assinada pela assessoria de imprensa. E mesmo essa tímida nota provocou a indignação de círculos católicos nas redes sociais, pois **Marielli** defendia o direito ao aborto, as uniões homoafetivas e era mãe solteira.

Frei Betto lembrou, então, as lutas da CNBB durante a ditadura, "quando reagiu publicamente em defesa dos comunistas e ateus perseguidos, exilados, presos ou assassinados", sem contar que "Jesus jamais discriminou as pessoas que divergiam dele ou viviam em contraposição aos valores que ele pregava".

A universalidade de **Marielle**, contudo, talvez esteja contida num simples verso de Carlos Drummond de Andrade:

> "As coisas findas,
> muito mais
> que lindas,
> elas ficarão."

ESTE LIVRO SE ABEBEROU DE

Aos Trancos e Barrancos — como o Brasil deu no que deu. Darcy Ribeiro

Igreja Medieval — a cristandade latina. José Luiz Del Roio

A Greve de 1917. José Luiz Del Roio

João do Rio: vida, paixão e obra. João Carlos Rodrigues

A Mulher do Próximo. Gay Talese

Brasil: Almanaque de Cultura Popular. Elifas Andreato

A Academia do Fardão e da Confusão. Fernando Jorge

Viver para Contar. Gabriel García Márquez

Marina: a vida por uma causa. Marília de Camargo César

Revista Realidade — Edição Amazônia (1971)

O Flâneur — Um passeio pelos paradoxos de Paris. Edmund White

Site Vermelho

Wikipédia

ÍNDICE ONOMÁSTICO

A

Abreu, Caio Fernando de 75
Abreu, Gilda de 50
Abreu, Zequinha de 48
Adão 15-16, 19
Afrodite 19
Agamenon 20
Alcayaga, Lucila de María del Perpetuo Socorro Godoy 58
Alegre, Elvira 114
Almeida, Antônio 58
Alzirinha 91-93
Amado, Henriette 73
Amado, Jorge 50
Amaral, Jacinto Ribeiro do 25
Amaral, Tarsila do 41-42
Andrade, Carlos Drummond de 51, 123
Andrade, Lygia Doutel de 73
Andrade, Mario de 9, 42, 48, 51
Andrade, Oswald de 41-42
Andreato, Elifas 99, 125
Angel, Stuart 80
Angel, Zuzu 80
Ângela Maria 66

Antônio Maria 63
Antônio, Luiz 64
Antunes, Arnaldo 103
Ápis 19
Apolo 20
Aquiles 20
Aranha, Oswaldo 92
Arecachu 78
Aristóteles 103
Armani 97
Armstrong, Louis 66
Arns, Paulo Evaristo 99
Arns, Zilda 99-100
Assis, Clara de 17
Assis, Machado de 27, 50, 79
Athayde, Austregésilo de 79
Averroes 103
Azevedo, Carlos 85

B

Baker, Josephine 43
Ballesteros, Eloísa 85
Barbosa, Rui 24
Bardi, Lina Bo 59
Bardi, Pietro Maria 54

Barret, John 66
Barreto, Bruno 64
Barreto, Lima 32, 65
Barro, João de 23
Barros, Antonieta de 117
Barros, Emygdio de 54, 56
Barroso, Ary 50, 62
Bath, Patrícia 117
Beirão, Nirlando 74
Bejo 92-93
Benário, Olga 47
Benett, Alberto 18
Benett, Tony 112
Benjor, Jorge 112
Bennett, D.M. 18
Bento XV (papa) 11
Bento XVI (papa) 17, 109
Berardinelli, Cleonice 80
Bergman, Ingrid 11
Bernhardt, Sarah 35
Bethânia, Maria 34, 82
Betto, Frei 99-100, 122-123
Bier, Xênia 87
Bingen, Hildegarda de 17
Bishop, Elizabeth 64
Blanco, Billy 63
Blecaute (General da Banda) 15
Boff, Leonardo 107
Borba, Emilinha 59
Borghetti, Renato 108
Bôscoli, Ronaldo 67
Boulos, Guilherme 89
Bouvoir, Simone de 12
Braga, Gilberto 82

Brancusi, Constantin 42
Bravo, Manuel Alvarez 47
Breton, André 41
Buarque, Chico 79, 108
Buela, Juana Rouco 31
Bueno, Maria Esther 66
Bündchen, Gisele 97
Buzaid-Garrastazu 69

C

Caldas, Klécius 14
Calvino 18
Campos, Roberto 73
Cançado, Maura Lopes 74
Cannon 121
Canô, Dona 34
Capistrano, David 96
Capitu 27
Cardoso, Elizete 64
Carlos (paciente de Nise da Silveira) 55
Carlos, Juan (rei) 95
Carlotto, Estela de 102
Carlotto, Laura 102
Carvajal, Gaspar (frei) 7
Carvalho, Beth 108
Carvalho, João Batista de 25
Cássia, Rita de 17
Castilho, Lindomar 86
Castro, Tarso de 70
Cavalcanti, Armando 14-15
Caymmi, Dorival 82
Celso, Zé 42
César, Marília de Camargo 96, 125

Charf, Clara 112
Chopin 42
Ciata, Tia 34
Cibele 10
Clair, Janete 69-70
Clara, Santa 17-97
Cláudya 87
Cocteau, Jean 43
Colombo, Cristóvão 94-95
Columbo 121
Conceição, A Imaculada 19
Conceição, Mariadina da 78
Costa, Gal 82
Costa, Lúcio 48
Costa, Zenóbio da 91
Crespi, Rodolfo 32-33
Crusoé, Robinson 77
Cunha, Flores da 92
Cunha, Gabriela Carneiro da 78

D

D'Arc, Joana 11
Daltro, Leolinda de Figueiredo 35-36
Damiani, Pedro 10
Dantas, Audálio 116
Davis, Angela 116
Davis, Viola 117
Debray, Elizabeth Burgos 94
Deméter 10
Deusa Crioula (apelido de Josephine Baker) 43
Di Cavalcanti 42
Dias, Ney Gonçalves 87
Dilma 96, 105-109

Dina 77-79
Dina, Antônio da 78
Diniz, Ângela 86
Diniz, Leila 69-71
Diogo, Luísa 110
Dior 97
Donato, Ausonia Favorido 103
Donato, João 62
Drácula, Conde 80
Duncan, Isadora 24
Duran, Dolores 63
Dutra, Eurico Gaspar 57, 92

E

Ekberg, Anita 82
Emanuele III, Vitorio 33
Erundina, Luiza 87-88
Eva 14-16, 19

F

Fadel, Georgette 78
Ferreira, Bibi 65
Fields, Bob 73
Figueiredo, Guilherme 65
Filho, Daniel 70
Fitzgerald, Ella 63
Fitzgerald, F. Scott 43
Fleury, Sérgio Paranhos 112
Flores, Daniel Luís 46
Floresta, Nísia 21
Fonda, Jane 83
Fonseca, Hermes da 24
Fraley, Naomi Parker 115
Framme, Teresinha 73

Francisco (papa) 122
Francisco, São 17
Franco, Bernardo Mello 122
Franco, Marielle 119, 121-122
Freire, Paulo 5, 88, 116
Freud, Sigmund 41
Fuego, Luz Del 72

G

Gabriel (arcanjo) 19
Gabriela, Marília 87
Galeano, Eduardo 95
Galvão, Patrícia 39-41
Gandra Filho, Ives 17
Garibaldi, Anita 21
Gattai, Zélia 80
Gaultier, Jean Paul 97
Gbowee, Leymah 110
Genoíno, José 96
Getúlio 36, 41, 51, 57, 64, 91-93, 101
Gil, Gilberto 62
Gilberto, João 67
Gog 108
Gomes, Anderson 121
Gomes, Dias 70
Gonzaga, Chiquinha 21, 23-26
Gonzaga, Francisca Edwiges Neves 25
Gonzalo (irmão de Pizarro) 7
Gordimer, Nadine 110
Goulart, João 74
Goulart, Maria Thereza 74
Graham, Katharine 83
Gramont, Eliane de 86

Gregório IX (papa) 10
Groisman, Serginho 103
Guajajara, Sônia 89
Gualberto, João 26
Guerra, Ruy 79
Guerrero, Xavier 47
Guido (neto de Estela de Carlotto) 102
Guilherme, Olympio 40

H

Hard, Darlene 66
Hayden, Tom 83
Hélios (filho de Gilka Machado) 50
Henequim, Pedro de Rates 15
Henfil 87
Hernandez, Clodovil 87
Herzog, Vladimir 114
Hilário (filho de Chiquinha Gonzaga) 26
Hilst, Hilda 75
Hitler, Adolf 46
Holmes, Sherlock 121
Homero 20
Hopkins, Anthony 18
Hopkins, Matthew 18

I

Inana 27
Inocêncio VIII 10
Institoris, H. (padre) 10
Isabel (princesa) 26
Iscariotes, Judas 109
Ísis 10, 19
Ivo, Pedro 103

J

Jemison, Mae 117
Jesus Cristo 8
Jesus, Carolina Maria de 116
Jobim, Tom 62, 67
Jordão, Fernando Pacheco 114
Juana 31, 33
Jung, Carl 54

K

Kahlo, Frida 47
Kahn, Herman 73
Kamura, Celso 105
Kellerman, Annette 28
Kierkegaard, Soren 12
Kinsey, Alfred 13
Kubitschek, Juscelino 79

L

Lacerda, Carlos 93
Lago, Mario 58
Lane, Virgínia 64
Lang, Helmut 97
Leão, Nara 67
Lecter, Hannibal 18
Lee, Amy Bruce 37
Lee, Rita 19, 71
Leocádia, Dona 58
Lewandowski, Ricardo 109
Lima, Jorge de 75
Lispector, Clarice 59
Liszt 24
Lobato, Monteiro 48
Lobo, Edu 74

Lobo, Fernando 63
Lobo, Mara 41
Lopez, Antônio Muniz 88
Luis, Edson 119
Lutero, Martinho 10, 18
Lutz, Adolfo 37
Lutz, Bertha 35, 37
Lyra, Carlinhos 63
Lyra, Carlos 67

M

Machado, Ana Maria 80
Machado, Gerardo 46
Machado, Gilka 48, 50
Machel, Graça 110
Machel, Samora 110
Macunaíma 9
Madalena 14
Madonna 47, 117
Magalhães, Antônio Carlos 96
Magalhães, Oldemar 64
Magnani, Anna 11
Magriñat, José 46
Maia, Joel 69
Maia, Malu 87
Maigret (Inspetor) 121
Mainardi, Diogo 96
Malfatti, Anita 42, 48
Mallmann, Shirley 97
Mandela, Nelson 110
Mangabeira, Otávio 92
Maomé 19
Maria (mãe do Salvador) 19
Maria (virgem) 19

Maria Bonita 51

Maria de Magdala 16

Maria José 73

Maria Madalena 16

Marighella, Carlos 112

Marlene (rainha do rádio) 59

Marques, Enedina Alves 117

Martinez, José 31, 33

Martino, Telmo 59

Martins, Herivelto 34

Marx, Eleanor 114

Marx, Karl 114

Masasi, Sara 110

Mascelani, Maria Nilda 73

Massu 78-79

Matarazzo, Francesco 33, 67

Matilde (operária) 28

Maysa 67

Mbande, Njinga A 111

Meireles, Cecília 75

Mella, Julio Antonio 47

Menchú, Rigoberta 94

Menescal, Roberto 67

Menezes, Margareth 108

Mesquita Filho, Júlio de 92

Miller, J. Howard 115

Milliet, Sérgio 12

Miranda, Carmen 50

Mistral, Gabriela 58

Modotti, Tina 45, 47

Monjardim 67

Monroe, Marilyn 14

Montaldo, Giuliano 79

Monte, Marisa 96

Monteiro, Góis 92

Montenegro, Fernanda 97

Monterastelli, Alessandra 40-41

Moraes, Eneida de Villas Boas Costa
de 48

Moraes, Vinicius de 62, 67, 74

Morais, Fernando 108

Mourão Filho, Olímpio 73

Müller, Felinto 92

Mussolini, Benito 33, 46

N

Nabuco, Joaquim 26

Nazaré, Maria Escolástica da Conceição 82

Neruda, Pablo 58, 116

Nery, Anna 101

Nery, Anna Justina Ferreira 101

Nicolelis, Miguel 108

Niemeyer, Oscar 107

Nightingale, Florence 101

Nixon, Richard 83, 119

Nogueira, Rose 87

Novaes, Guiomar 42

O

Oliveira, Dalva de 64

Oliveira, Rosiska Darcy de 80

Orellana, Francisco de 7

Orico, Vanja 65

Orozco, José Clemente 47

P

Pagu 39-41, 48

Palmares, Dandara dos 21

Pankhurst, Emmeline 29

Patrocínio, José do 26

Patrocínio, Maria do 26

Paulo (apóstolo) 18

Paulo II, João 95

Peixoto, Alzira Vargas do Amaral 93

Peixoto, Paulo Fernando 89

Pelé 100

Penélope 20

Penha, Maria da 101

Pereio, Paulo César 70

Pereira, Astrojildo 32, 41

Pérola Negra (apelido de Josephine Baker) 43

Picasso 42

Picchia, Menotti del 42

Piñon, Nélida 80

Pio IX (papa) 19

Pires, Gloria 64

Pires, Sandra 116

Pizarro, Francisco 7

Platão 20

Poirot, Hercule 121

Popova, Nadezhda Vasil'yevna "Nadia" 113

Portinari 51, 56

Porto, Sérgio 67

Poter, Cole 43

Prestes, Luís Carlos 41, 47, 58

Q

Quebrada, Linn da 115

Queiroz, Carlota 49

Queiroz, Dinah Silveira de 80

Queiroz, Rachel de 79

Quitéria, Maria 21

R

Ramos, Graciliano 56

Raoni 88

Raskova, Marina Mikhailovna 57

Regina, Elis 63, 74

Remarque, Erich Maria 43

Rezende, Sérgio 80

Ribeiro, Alberto 23

Ribeiro, Ana Júlia 113

Ribeiro, Darcy 40, 125

Ricardo, Sérgio 67

Rio, João do 24, 125

Rivera, Diego 47

Rocha, Adileia Silva da 62

Rocha, Martha 65

Rodrigues, João Rocha 99

Rodrigues, Lupicínio 16

Roio, José Luiz Del 33, 125

Rolla, Joaquim 57

Roma, Mama 11

Romeu, Inês Etienne 83

Ronaldo 100

Rosa, Guimarães 59

Rosa, Noel 61

Rosie the Riveter 115

Rossellini, Roberto 11

Roth, Philip 16

Roubaix 46

Rousseff, Dilma 105

Rubio, Pascual Ortiz 46

Ruiz, Pepa 24

S

Sader, Emir 107

Safo 20

Salgado, Plínio 92

Salmaso, Mônica 103

Santinha (Dona) 57

Santos, Joaquim Ferreira dos 70

Santos, Joel Rufino dos 103

Santos, Lucélia 82

Sapoti (apelido de Ângela Maria) 66

Sara, "Mama" 110

Sarney 87

Sartre, Jean-Paul 12

Sayão, Bidu 49

Schumann 42

Segall, Lasar 57

Serra, José 96, 106

Shaw, George Bernard 25

Siena, Catarina de 17

Silva, Arethuza Figueiredo 81

Silva, Benedita da 122

Silva, Carmen da 74

Silva, Chica da 21

Silva, Constantino 58

Silva, Djanira da Motta e 51

Silva, Jacqueline 116

Silva, Lourival Pereira da 73

Silva, Luiz Inácio Lula da 96

Silva, Marina 96

Silva, Marta Vieira da 100

Silva, Virgulino Ferreira da 51

Silveira, Nise da 53-55

Simenon, Georges 43

Sirleaf, Ellen Johnson 110

Smith, Ada "Bricktop" Louise 43

Soares, Delúbio 96

Soares, Elza 117

Soares, Lota de Macedo 64

Soares, Ronan 83

Sodré, Nelson Werneck 103

Sodré, Niomar Muniz 75

Sonsin, Antonio 40

Sprenger, J. (padre) 10

Stadlander, Luísa 105

Stancioli, Márcio 85

Sting 88

Streep, Meryl 29

Street, Doca 86

Suplicy, Marta 87

T

Talese, Gay 18, 125

Taylor, Charles 110

Teffé, Nair de 24

Telles, Lygia Fagundes 80

Tereshkova, Valentina Vladimirovna 71

Thomas, Valerie L. 117

Tio Sam 95

Tito (marechal) 43

Tolentino, Bruno 75

Torres, Fernanda 97

Toscanini 49

Troy (filho de Jane Fonda) 83

Trump, Donald 117

Tsé-Tung, Mao 116

Tuíra 88-89

U

Ulisses 20
Utu 27

V

Valença, Alceu 108
Valentino 97
Valentino, Rodolfo 40
Vanzetti 79
Vargas, Benjamim "Bejo" 91
Vargas, Darcy 57
Vargas, Getúlio 91, 93, 101
Veloso, Caetano 34
Vênus Negra (apelido de Josephine Baker) 43
Vergueiro, Maria Alice 102
Verissimo, Erico 59
Viana, Oduvaldo 50
Vidali, Vittorio 47
Villa-Lobos 42, 51
Vitória (rainha) 29
Vlado 114
Volúsia, Eros 48

W

Waack, William 117
Wapichana, Joenia 89
Weston, Edward 46
White, Edmund 6
Winehouse, Amy 112
Woodhull, Victoria 18

Y

Yaci (Mãe-Lua) 9
Yaci-Uaruá (Espelho da Lua) 9
Yonara, Zora 87

Z

Zéfiro, Carlos 96

Informações sobre a Geração Editorial

Para saber mais sobre os títulos e autores
da **Geração Editorial**,
visite o *site* www.geracaoeditorial.com.br
e curta as nossas redes sociais.

Além de informações sobre os próximos lançamentos,
você terá acesso a conteúdos exclusivos
e poderá participar de promoções e sorteios.

🏠 **GERACAOEDITORIAL.COM.BR**

f **/GERACAOEDITORIAL**

🐦 **@GERACAOBOOKS**

📷 **@GERACAOEDITORIAL**

**CONHEÇA NOSSA
LOJA VIRTUAL E
APROVEITE DESCONTOS
DIFERENCIADOS:
GERACAOBOOKS.COM.BR**

Geração Editorial
Rua João Pereira, 81 – Lapa
CEP: 05074-070 – São Paulo – SP
Telefone: (+ 55 11) 3256-4444
E-mail: geracaoeditorial@geracaoeditorial.com.br